# Table des matières

## L'appel de Pietermaritzburg

L'appel de Pietermaritzburg reflète des inquiétudes qui ont transparu dans certaines communications du colloque, et une volonté de réagir. Il faut accompagner le développement des maisons d'édition locales. Les ouvrages et colloques qui se sont multipliés ces dernières années du Sahel à l'Océan Indien dessinent un mouvement continental de réappropriation des œuvres littéraires comme des autres éléments définissant l'identité culturelle.

Il semble aujourd'hui nécessaire que les Africains francophones se réapproprient pleinement des œuvres francophones majeures auxquelles la plupart d'entre eux ont un accès limité. Dans une perspective de relocalisation culturelle, il faudrait que ces œuvres, dont les droits sont aujourd'hui souvent détenus par des maisons d'édition non-africaines, soient mieux diffusées et plus accessibles dans les pays dont elles parlent. Il s'agit notamment de favoriser le développement dans chaque pays ou aire culturelle de maisons d'édition qui pourront être des vecteurs effectifs de diffusion. Nous proposons donc que des entités publiques ou privées (maisons d'édition comprises) financent cette relocalisation culturelle. Les sponsors pourront être des entreprises (ou des fondations, des particuliers) qui auront à cœur de démontrer ainsi sur le terrain un soutien significatif et durable au capital culturel africain francophone. Le comité de Pietermaritzburg veillera à ce que cette relocalisation culturelle puisse s'accomplir, ou à tout le moins qu'elle prenne les chemins de son accomplissement. La décision du mode de diffusion est laissée libre dans chaque pays, aucune option n'étant a priori écartée. Nous insistons cependant sur la matérialité du livre et la nécessité de travailler avec les bibliothèques publiques de prêt comme avec les maisons d'édition locales.

À toutes fins utiles, et après les consultations d'usage, le comité tentera de dresser pour chaque pays ou aire culturelle une liste d'œuvres prioritaires suivant des critères consensuels, liste d'ailleurs ouverte aux suggestions du public comme des professionnels de l'édition et de la diffusion. Les œuvres pourront être données gratuitement à des bibliothèques publiques de prêt, etc. Suivant les pays et les cultures, on peut dans un premier temps constituer des listes préliminaires de quelques livres seulement. À l'heure où le tout-digital et les fusions de collections se répandent dans de nombreuses bibliothèques universitaires, de nombreuses stratégies innovantes sont possibles, qui devront cependant respecter l'intégrité des œuvres et leur libre accès.

Des actions similaires sont envisageables pour d'autres langues, y compris les langues autochtones, ou pour d'autres domaines dont les sciences sociales et humaines au sens large (histoire, géographie, anthropologie, linguistique, psychologie, philosophie, etc.) et des actions comparables sont déjà menées notamment par le CODESRIA. Certains écrivains choisissent aujourd'hui d'abandonner leurs droits ou une partie de ceux-ci dans leurs pays d'origine. Le comité travaillera avec toutes les parties prenantes et évaluera les projets et les réalisations, en distinguant les meilleurs y compris sur son futur site web.

Pietermaritzburg, le 6 août 2014.

# Écrire et publier en Afrique : (re)localisation, postcolonial, mondialisation

Bernard Mouralis (Université de Cergy-Pontoise)

**Abstract**

*Since the end of the 1970's, we have observed the development of an important publishing activity in Africa. This article tries to analyze this phenomenon. After retracing the history of publishing in Africa, from Th. Mofolo, J.-J. Rabearivelo, A. Sadji to the present situation (beginning in the last twenty of the XX$^{th}$ century with the use of the computer and access to the Internet), I will argue that this history is indicative of a constant relocation of the publishing activity in Africa. Nowadays this activity takes place in the context of globalization and the 'postcolonial'. One must therefore ask whether relocation is compatible with such a context. In confronting this question, the article pays particular attention to the cases of P. Hountondji and R. Philombe, examining the links between literature and the location where literature is written and read. The article poses the question: does the text exist before Africa or does Africa exist before the text?*

**Keywords**: African publishing; Internet; globalisation; postcolonial; local situation; Couchoro; Hountondji; Philombe

**Mots Clés** : édition africaine ; Internet ; mondialisation ; postcolonial ; local ; Couchoro ; Hountondji ; Philombe

Depuis une vingtaine d'années environ, on assiste au développement, en Afrique francophone, de nombreuses maisons d'édition qui, désormais, publient une part importante de la production écrite par des auteurs africains, dans le domaine de la fiction et de l'essai comme dans celui du livre scolaire, de la littérature pour la jeunesse ou du livre « pratique ».

Ce phénomène, qui n'est d'ailleurs pas propre à la production francophone, mérite pleinement de retenir l'attention, mais il est plus complexe qu'on ne pourrait le penser de prime abord, car il renvoie en fait à des problèmes et des enjeux multiples – et quelquefois même divergents – qu'il convient de distinguer et parmi lesquels on retiendra d'abord tout ce qui concerne l'aspect quantitatif de ce phénomène.

Par ailleurs, la création de maisons d'édition sur le continent africain peut être considérée comme un processus visant à relocaliser la production littéraire – au sens large du terme – africaine. Dans quelle mesure ce mouvement réussit-il à établir une sorte de contrepoids ou de contrepouvoir dans une situation largement dominée jusqu'alors par l'édition française, parisienne notamment ? La réponse à une telle question suppose d'abord toute une réflexion sur la notion même de (re)localisation, qui s'opère dans un contexte intellectuel marqué par le développement des notions de postcolonial et de mondialisation.

On voit ainsi se dessiner désormais deux grands espaces de la production littéraire africaine francophone, du point de vue de l'édition et de l'écriture. Quelles sont les relations susceptibles d'exister entre ceux-ci ? En particulier, existe-t-il une frontière étanche entre les deux ou constate-t-on, au contraire, des intersections et une circulation de l'un à l'autre et, dans ce cas, selon quelles modalités ?

### Aspects d'un mouvement éditorial : l'ancien et le nouveau

L'évolution que l'on observe depuis les années 1980 ne doit pas faire illusion : l'existence d'une activité éditoriale en Afrique n'est pas nouvelle, loin de là. Et, à cet égard, on se souviendra que, depuis les origines, de nombreuses œuvres d'auteurs africains ont été publiées sur le continent ou dans les îles qui lui sont rattachées : Madagascar, Maurice, Réunion, etc. Songeons par exemple au premier roman de l'écrivain de langue sotho, Thomas Mofolo, *Moeti oa Bochabela*, publié en 1907 sur les presses de la mission de Morija au Lesotho, comme d'ailleurs ses deux autres récits : *Pitseng* (1910) et *Chaka* (1925)[1]. Ou, encore, à plusieurs des recueils de poèmes ou écrits de Jean-Joseph Rabearivelo parus à Tananarive : *La Coupe de cendres* (1924), *Sylves* (1927), *Volumes* (1928), etc. On peut citer également le cas d'un romancier comme Abdoulaye Sadji qui publie en 1952 à Dakar une première version de son célèbre roman *Maïmouna* paru en 1958 à Présence Africaine (Sadji 1952 et 1958) et, toujours à Dakar, une première édition de son récit *Tounka, une légende de la mer* (1952). Sadji devait également publier à Dakar un autre récit : *Modu Fatim* (1960). Des constatations analogues peuvent être faites à propos de deux romans de Félix Couchoro, *Drame d'amour à Anecho* (1950) et *L'Héritage, cette peste* (1963), publiés respectivement au Dahomey et au Togo.

Dans le domaine de l'essai et de la littérature d'idées, de nombreux écrivains ont publié leurs textes en Afrique. C'est le cas entre autres des deux études historiques d'Amadou Duguay-Clédor, *La Bataille de Guîlé* et *De Faidherbe à Coppolani ou les Gandiols-Gandiols au service de la France*, parues à Saint-Louis respectivement en 1912 et 1913 (Duguay-Clédor 1985), de nombreux travaux concernant les langues, les littératures orales et l'ethnologie des sociétés africaines publiés pendant un demi-

[1] Pour une histoire de la publication des œuvres de Mofolo, on se reportera également à l'introduction d'Alain Ricard à la traduction française de *Moeti oa Bochabela*, parue chez Confluences.

siècle dans le *Bulletin de l'enseignement de l'A.O.F*[2], de multiples écrits que l'on trouve dans la presse de l'époque coloniale : journaux d'opinion, souvent éphémères et censurés, ou périodiques liés plus ou moins directement aux milieux coloniaux ou à certaines institutions. Il y a là tout un ensemble de moyens d'expression dans lesquels les Africains ont occupé une place très importante avec des textes de : Ouezzin Coulibaly, Sadji, Fily Dabo Sissoko, Ousmane Socé, Birago Diop, Louis Hunkanrin, Paul Hazoumé, Mamby Sidibé, etc. Ce processus permet de prendre la mesure d'une activité qui a réussi en définitive à investir l'espace colonial comme l'a montré Hans Jürgen Lüsebrink dans son livre, *La Conquête de l'espace public colonial* (2003).

Ces quelques données montrent l'ancienneté de l'activité éditoriale en Afrique. Elles peuvent permettre aussi d'esquisser une historiographie et une typologie des formes prises par cette activité. Sur la longue durée, c'est-à-dire au cours de la période 1900-1960, on constate, tout d'abord, un mouvement progressif des auteurs africains pour se déprendre des structures éditoriales créées dans les territoires coloniaux par les missions, l'administration ou des organismes proches de celle-ci, au profit d'une édition située en France et offrant par là-même aux écrivains de fiction et aux essayistes la possibilité, espérée, d'acquérir une dimension plus « littéraire », plus « internationale » ou, si l'on préfère, plus « généraliste », en échappant notamment à la pression que le colonisateur exerçait en invitant les Africains à se tourner en priorité vers les « réalités » de leur pays (Mouralis 2007b : 490-491).

---

[2] Ce périodique est désormais accessible en ligne sur le site *Gallica* de la Bibliothèque nationale de France.

Mais ce mouvement est sinueux. En effet, dès la fin de la Deuxième Guerre mondiale, les écrivains qui avaient précédemment occupé une place importante dans le cadre de la presse de l'époque coloniale sont drainés vers des maisons d'édition situées à Paris : Julliard, Stock, Plon, Seuil, etc. et surtout Présence Africaine qui, à partir de 1948, va rapidement publier les grands noms de la littérature africaine et antillaise : Dadié, Mongo Beti, Birago Diop, Sadji, David Diop, D.T. Niane, Jean Malonga, Jacques Rabemananjara, Jean Ikellé Matiba, Ousmane Sembène, Cheikh Anta Diop, Doudou Thiam, Eboussi Boulaga, Gabriel Lisette, Jean-Pierre Ndiaye, Pathé Diagne, Césaire, Damas, E. Maunick, etc. Sans oublier les nombreux auteurs de langue anglaise qui furent aussi une des préoccupations de la maison fondée par Alioune Diop : Achebe, Soyinka, Ngugi, Nkrumah, Nyerere, etc.

Ce n'est qu'un peu plus tard que sont créées en Afrique même des maisons d'édition publiant des fictions et des essais ainsi que des ouvrages éducatifs. Parmi celles-ci, on retiendra d'abord CLE, fondée à Yaoundé sous l'égide des Églises Protestantes de plusieurs pays africains de la région et de deux pays européens (Allemagne et Pays-Bas) et qui commence ses activités en 1963. Voué à l'origine à l'édition d'ouvrages de spiritualité ou d'ouvrages destinés à une prise de conscience des problèmes de développement, cet éditeur tire très vite parti de l'édition de textes littéraires pouvant être lus par un large public. Par exemple : *Lettres de ma cambuse* (1964) de René Philombe, ou de textes plus difficiles comme *Le Lion et la perle* (1968) de Soyinka qui sera un de leurs premiers grands succès[3]. Dans le

[3] Cette orientation vers l'édition littéraire généraliste s'est trouvée confortée par la revue *Abbia, revue culturelle camerounaise*, créée en 1960 et dont le Centre de Littérature Évangélique assura pendant près de vingt ans la fabrication et la diffusion. L'un de ses principaux animateurs fut Bernard Fonlon, anthropologue professeur à l'Université de Yaoundé.

domaine de l'essai, CLE édite plusieurs ouvrages de Marcien Towa qui prennent place dans le débat sur la philosophie africaine ou contribuent à une remise en cause de la négritude senghorienne (Towa 1971a, 1971b, 1979).

Une dizaine d'années plus tard, à l'instigation de L. S. Senghor, alors président du Sénégal, sont créées les Nouvelles Éditions Africaines. Le capital est constitué d'un apport à parts égales de trois pays africains (Sénégal, Côte d'Ivoire, Togo) et d'une participation de quatre éditeurs : Armand Colin, Nathan, Seuil et Présence Africaine. L'activité de ce nouvel éditeur africain est particulièrement importante aussi bien dans le domaine de la fiction que dans celui de l'essai. Mais le fonctionnement « fédéral » de l'entreprise impliquant de nombreux acteurs, celle-ci présente assez vite des lourdeurs et en 1988 les NEA sont dissoutes, aboutissant à la création de deux entités : les Nouvelles Éditions Ivoiriennes et les Nouvelles Éditions Africaines du Sénégal. Signalons encore le CEDA (Centre d'Études et de Diffusion Africaines) créé à Abidjan en 1977 avec le concours de Hatier dont le chiffre d'affaires se répartit à peu près à égalité entre le livre scolaire et la littérature générale, avec des éditions ou rééditions ainsi que EDICEF (Éditions classiques d'Expression Française), créé au cours des années 1980 et qui est rattaché à Hachette International. De plus, au cours de cette période, d'autres maisons voient le jour en France et viennent, même si leurs objectifs ne sont pas nécessairement identiques, concurrencer Présence Africaine. C'est ce que l'on observe avec la création de L'Harmattan en 1975, puis de Karthala en 1980[4].

[4] L'Harmattan a été fondé par Denis Pryen et Robert Ageneau. Ce dernier, à la suite de divergences concernant la politique éditoriale, devait créer sa propre maison : Karthala.

Parallèlement, deux autres phénomènes significatifs marquent l'évolution concernant la période 1946-1980. Le premier est constitué par le mouvement qui conduit les écrivains africains de l'imprimeur à l'éditeur. Les livres publiés en Afrique à l'époque coloniale sont en nombre réduit et la quasi-totalité de ceux que l'on peut relever sont produits en fait par des imprimeurs : proches de l'administration comme O. Lesgourgues à Saint-Louis, premier éditeur des deux études historiques de Duguay-Clédor ou entreprises privées comme l'imprimerie de Mme P. d'Almeida où a paru *Drame d'amour à Anecho* de Couchoro ; sans oublier, bien sûr, les nombreux ouvrages publiés à compte d'auteur chez tel ou tel imprimeur. En revanche, la publication d'un texte par une maison comme Présence Africaine, CLE, NEA, Julliard, Plon ou le Seuil avait, pour l'écrivain auteur de ce texte – et les lecteurs –, une tout autre signification. Le deuxième phénomène réside dans la transformation progressive des formes d'expression. En effet, l'écrivain passe d'un mode d'expression constitué essentiellement par l'article de presse ou le texte paru en revue, à une autre forme qui fonctionne selon d'autres critères et qui implique un autre rapport au public et à l'instance qui rend possible cette prise de parole : le livre.

L'activité éditoriale considérable que l'on observe depuis une vingtaine d'années modifie sensiblement cette historiographie de l'édition africaine ainsi que l'évolution des formes d'expression et les instances de diffusion des textes. Cette évolution a été rendue possible d'abord par la généralisation de l'informatique qui permet de baisser considérablement les coûts de fabrication des ouvrages et de produire des livres d'une qualité technique tout à fait satisfaisante. D'autre part, l'accès à Internet, après des débuts difficiles, mais peut-être pas plus qu'ailleurs, offre à des éditeurs « périphériques » la possibilité de se faire connaître largement, de vendre leurs ouvrages à distance – notamment sous forme de fichiers numériques – et de constituer avec d'autres éditeurs des réseaux qui leur offrent une visibilité jamais atteinte jusque-là.

Il serait difficile dans le cadre de cet article de présenter une vue exhaustive des nombreux éditeurs qui ont fondé leur activité sur l'emploi de ces nouvelles technologies, car nous sommes dans un domaine où les changements et les regroupements sont par définition rapides. Je proposerai cependant quelques exemples en donnant en note les sites Internet :

- Éditions Donniya[5] fondées en 1996 à Bamako. Orientées au début sur l'édition culturelle (histoire, société) avec la publication de la revue *Tamama*, elles privilégient aujourd'hui le public jeune (scolaire et jeunesse).
- ODEM[6] (Odette Maganga), fondée à Libreville en 2010. Programme d'ouvrages universitaires et essais, notamment sur l'Afrique centrale. Propose des lectures en lignes d'ouvrages pour la jeunesse.
- Afrédit[7], fondée en 2003 à Yaoundé (Africaine d'Éditions). Histoire, politique, économie. Propose également pour la jeunesse des ouvrages évoquant un univers proches de celui dans lequel vivent les lecteurs.
- Jimsaan[8], créée en 2012 à Saint-Louis du Sénégal sous l'égide de Boubacar Boris Diop et Felwine Sarr. Vise la littérature novatrice.
- Papyrus Afrique. Fondée en 1988. Publie des textes en peul et wolof, dont *Doomi Goolo* de Boubacar Boris Diop en 2003. Publie le mensuel *Lasli/Njelbéen*. A obtenu le monopole de la distribution du *Petit précis de remise à niveau sur l'histoire africaine à l'usage du président Sarkozy* (Konaré 2008).

---

[5] http://www.editionsdonniya.com.
[6] www.editionsodem.com.
[7] www.afredit.org.
[8] editionsjimsaan@gmail.com.

- Éditions Ganndal[9], fondée à Conakry en 1992. Littérature, ouvrages généraux, ouvrages scolaires et jeunesse.

En ce qui concerne les créations de réseaux, on notera entre autres :
- ABC[10] (African Books Collective) qui est sans doute le réseau le plus vaste et le plus structuré et qui au départ regroupait en vue de la vente des ouvrages, des éditeurs de langue anglaise, mais qui intègre depuis plusieurs années les éditeurs de langue française, par exemple le CODESRIA de Dakar.
- APNET[11], fondé au Zimbabwe et dont les partenaires sont en majorité anglophones.
- Afrilivres[12] présente, comme on peut le lire sur le site, les titres non scolaires publiés par les éditeurs d'Afrique francophone regroupés en une association du même nom basée à Cotonou. Il réunit actuellement 33 éditeurs.
- Alliance internationale des éditeurs indépendants[13]. Association à but non lucratif créée en 2002. Réunit 80 éditeurs de 45 nationalités regroupés en réseaux linguistiques : francophone et anglophone – l'Afrique y est bien représentée –, hispanophone, lusophone, arabophone, persanophone. D'autres secteurs sont également représentés : Italie, Grèce, Bulgarie, Chine, etc. L'Alliance organise de nombreuses activités et fait connaître les catalogues de ses membres.

L'accès de l'édition africaine à Internet et la constitution de réseaux a pour conséquence de poser en d'autres termes le rapport que l'éditeur entretient avec l'espace africain. En effet, alors que la fondation de CLE ou des NEA pouvaient apparaître

[9] http://editionsganndal.blogspot.fr.
[10] www.africanbookscollective.com.
[11] www.african-publishers.net.
[12] www.afrilivres.net.
[13] www.alliance-editeurs.org.

comme une volonté de rééquilibrer un champ éditorial dominé jusqu'alors en grande partie par Paris, le passage au numérique modifie la notion même d'espace, car si l'on peut identifier les acteurs de cette nouvelle activité éditoriale en fonction des pays où ils travaillent, des itinéraires qu'ils ont parcouru et du rôle qu'ils jouent, en revanche, il est beaucoup plus difficile de *localiser* un texte produit sur un ordinateur qui accède au web et, *a fortiori*, un texte accessible dans une version numérique, PDF ou autre. Nous sommes ainsi confrontés à un phénomène tout à fait nouveau, puisque désormais la réalité et le sens qu'il convient de prendre en compte résident dans la connexion, et non plus, comme on le croyait jusqu'alors, dans le local et la localisation d'un secteur particulier situé dans un espace donné.

**Édition africaine et mondialisation**

Ce développement de l'activité éditoriale sur le continent africain s'opère au moment même où les études littéraires africaines connaissent un essor considérable comme le montrent, d'une part, l'intérêt croissant que leur portent l'enseignement et la recherche universitaires et, d'autre part, la place que leur accordent les éditeurs français ou francophones, avec, par exemple, la création de collections dédiées à ce domaine : « Monde Noir Poche » chez Hatier, « Continents Noirs » chez Gallimard ou « Lettres Africaines » chez Actes Sud, parallèlement aux ouvrages qui continuent d'être publiés dans le programme général des éditeurs, que ce soit chez ces derniers ou chez d'autres : Plon, Grasset, Seuil, Buchet Chastel, Mercure de France, etc.

Mais ce qui pourrait apparaître comme la reconnaissance d'un domaine longtemps ignoré ou méprisé en raison de l'intérêt exclusif accordé pendant longtemps aux seuls canons littéraires occidentaux se trouve en réalité limité par deux grands types de facteurs. Les uns concernent le *corpus* des textes qui sont retenus pour l'étude ou l'édition et qui, dans la quasi-totalité des cas sont écrits dans des langues européennes (anglais, français, portugais). Une telle option laisse de côté, en dehors de quelques exceptions notables comme les récits de Thomas Mofolo, les œuvres écrites dans des langues africaines. Elle conduit ainsi à donner une vision partielle de la production littéraire africaine qui, en réalité, comporte tout autant, sinon plus, de textes écrits dans des langues africaines que de textes écrits dans des langues européennes et, par là-même, à simplifier une situation littéraire marquée par la coexistence et l'imbrication, d'une part, de plusieurs formes d'expression et de communication littéraires : littérature orale et oralité, écrit, imprimé et édition, d'autre part, de langues dotées de statuts divers et souvent concurrents.

Les autres types de facteurs, d'ordre plus spécialement théorique, résident dans l'emploi que la recherche et la critique font de notions comme : postcolonial, hybridité, métissage, race, colonisation, indépendance, identité, etc. qui, en l'absence d'un réel travail de contextualisation, ne conduisent pas toujours à une analyse satisfaisante des textes littéraires et de la relation susceptible d'exister entre le mondial et le local. Autant de notions qu'il conviendrait au préalable d'éprouver en se demandant si elles ne sont que des thèmes de discours ou, au contraire, des catégories conduisant à une meilleure intelligibilité des œuvres littéraires africaines. La réflexion se réclamant de la théorie postcoloniale a eu sans aucun doute le mérite de faire apparaître dans le champ universitaire d'autres auteurs que ceux qui faisaient jusqu'alors partie du canon occidental. Mais lorsqu'on examine le *corpus* sur lequel elle travaille, force est de constater que celui-ci demeure en définitive limité – Césaire, Senghor, Glissant, Damas, Camara Laye, Sembène Ousmane, Mongo Beti, Aminata Sow Fall, Mariama Bâ, Ananda Devi, etc. – et, surtout, qu'il regroupe essentiellement des écrivains qui, par leur posture, appartiennent à la « grande » Littérature ou tentent d'y appartenir. Or, il existe de nombreux écrivains ou groupes d'écrivains qui n'entrent pas dans ce cadre et qui, par là-même, ouvrent sur des problématiques nouvelles que la recherche ne prend guère en compte.

Parmi les démarches qui, à l'inverse, illustrent une réorientation de la recherche en dehors du recours convenu à la catégorie du postcolonial[14], on pourra citer, d'abord, les travaux proposant l'analyse d'une production littéraire ou d'un genre dans une langue africaine, comme, par exemple, l'étude que Xavier Garnier a consacrée au *Roman swahili* et qui est à la fois une analyse d'ensemble d'un genre littéraire dans une langue africaine et une réflexion sur la place, aujourd'hui, d'une littérature « mineure » (Garnier 2006)[15]. Retenons également les travaux qui s'interrogent sur le statut littéraire de tel ou tel

---

[14] Le recours à cette catégorie peut prendre parfois une forme scientiste qui rend difficile une prise en compte textuelle et philologique des œuvres et de leur contexte. On le verra par exemple dans cette quatrième de couverture d'un ouvrage collectif consacré aux *Enjeux de l'autobiographie* : « Le genre autobiographique est souvent théorisé par la critique des littératures francophones, mais sa relation avec les concepts du postcolonial et de l'hybridité a encore peu été analysée de façon systématique. Le présent ensemble d'articles s'interroge sur l'autobiographie, tant comme norme littéraire ancrée dans la culture occidentale, que comme problématisation postcoloniale de l'hybride et du genre. Il décrit en particulier la relation entre la manifestation autobiographique et l'hybride pour décider du statut épistémologique des textes, et il entame une systématisation des approches méthodologiques. Il ne s'arrête pas à la constatation d'une particularité des écritures francophones par rapport à une définition traditionnelle du genre autobiographique, mais se propose d'ouvrir de nouvelles pistes pour éviter le grand écart entre une dévalorisation des textes francophones face au modèle établi, et une surévaluation de leur spécificité, qui s'accompagne en effet le plus souvent d'une nouvelle marginalisation. » (Gerhmann et Gronemann 2006)

[15] Parmi les études entrant dans cette catégorie, citons l'ouvrage pionnier d'Albert Gérard : *Four African Literatures : Xhosa, Sotho, Zulu, Amharic* (Berkeley/Los Angeles, University of California Press, 1971).

écrivain et font apparaître ainsi des processus subtils de différenciation à l'intérieur même du champ littéraire africain. C'est le cas notamment de l'ouvrage d'Alain Ricard sur Félix Couchoro, *Naissance du roman africain : Félix Couchoro, 1900-1968* (Ricard 1987) qui montre pourquoi l'écrivain « populaire » s'est « contenté » de voir « seulement dans l'écriture un enjeu de statut social et de reconnaissance », sans se demander si celle-ci pouvait aussi « mettre en jeu la maîtrise de l'histoire et la recherche de la vérité » (Ricard 1987 : 203). De même, l'édition des *Œuvres complètes* de Couchoro (Couchoro 2005 et 2006), entreprise il y a quelques années au Canada, vient apporter une information précieuse sur l'évolution de cet écrivain hors normes et bien négligé de la critique universitaire. Dans une perspective un peu différente, la prise en compte de la catégorie de genre littéraire, envisagée dans une perspective interculturelle, peut se révéler féconde comme on le voit dans le recueil d'études réunies par Garnier et Ricard sous le titre de *L'Effet roman. Arrivée du roman dans les langues africaines* (Garnier et Ricard 2007).

Parallèlement, on constatera que la réflexion fondée sur le concept de postcolonial se trouve souvent prise dans un paradoxe qui vient en limiter l'efficacité, dans la mesure où la mise en avant du fait colonial s'accompagne d'une définition sommaire de celui-ci. Or, cette colonisation, contre laquelle ou après laquelle s'élève la littérature africaine, est un processus complexe qui n'est homogène ni dans le temps ni dans l'espace. En particulier, la colonisation de l'Afrique fondée sur la traite et l'esclavage, de la fin du XV$^{ème}$ siècle jusqu'aux années 1850, doit être distinguée de la colonisation territoriale que les États européens mettent en place dans le dernier tiers du XIX$^{ème}$. De même, on ne peut mettre sur le même plan les colonies de peuplement, dans lesquelles les Africains ont été spoliées de leurs terres – Afrique du Sud, Algérie, Kenya, Congo Belge et Congo français marqués par le système concessionnaire – et les colonies où l'on n'a pas ou très peu touché à la terre : AOF, Gold Coast, Nigeria et dans lesquelles le colonisateur s'est appuyé sur une très importante fonction publique autochtone[16].

On se souviendra enfin que, contrairement à ce qui est souvent affirmé et qui est devenu un véritable *topos*, le colonisateur, comme le montre, par exemple, l'histoire du système d'enseignement mis en place entre la fin du XIX$^{ème}$ siècle et les années 1946, n'a nullement cherché à importer sa propre culture mais, plus exactement, une culture spécifique, conforme au rôle que les Africains devaient selon lui jouer dans le système colonial. C'est pourquoi le contenu de cette culture était largement afrocentré car la grande préoccupation était de maintenir les colonisés au contact des réalités africaines ou, plus exactement, de ce que les artisans de cette politique pensaient être les réalités de l'Afrique. D'où la difficulté que rencontrèrent les écrivains qui entendaient aller par eux-mêmes vers le monde des langues africaines, des littératures orales et de l'oralité : comment faire pour qu'une telle ambition prenne une autre forme que ce localisme dans lequel le colonisateur voulait enfermer les Africains ?

## Enracinement éditorial ou retour vers l'Afrique ?

Les remarques qui précèdent permettent de poser une question essentielle à propos des nouveaux éditeurs africains : dans quelle mesure ceux-ci réussissent-ils à échapper aux deux grands types d'obstacles que nous venons de repérer – d'un côté, la prégnance d'un *corpus* africain en définitive limité ; de l'autre, le rendement relatif de la notion de postcolonial, notamment quand l'utilisation de celle-ci ne s'accompagne pas d'un véritable travail de

[16] Voir par, exemple, le célèbre récit d'Amadou Hampâté Bâ, *L'Étrange destin de Wangrin*. (Bâ 1973 et 1993).

commentaire des textes comme c'est le cas chez Said ou Homi Bhabha – et qui rend incertaine une prise en compte renouvelée ou élargie de la production littéraire africaine ?

Il est évidemment difficile de répondre à une telle question tant est vaste le champ éditorial qu'il faudrait considérer. Néanmoins, une tendance semble pouvoir être soulignée, lisible dans l'effort que nombre d'éditeurs accomplissent pour publier des ouvrages qui constituent des innovations et qui, fort probablement, n'auraient jamais été publiés par des éditeurs plus importants, en Europe ou en Afrique. C'est le cas, par exemple, de l'ouvrage du philosophe Paulin Hountondji, *Combats pour le sens, un itinéraire africain*, publié à Cotonou aux Éditions du Flamboyant (Hountondji 1997) ainsi que de l'ouvrage collectif publié peu avant sous sa direction, *Les Savoirs endogènes. Pistes pour une recherche* (Hountondji 1994) et édité par le CODESRIA à Dakar. L'itinéraire éditorial de P. Hountondji est particulièrement intéressant : après avoir publié de nombreux articles dans des revues universitaires, en France et en Afrique, il publie chez Maspero en 1976 un ouvrage tout à fait novateur et qui lance un débat toujours actuel, *Sur la « philosophie africaine ». Critique de l'ethnophilosophie* (Hountondji 1976). Mais les éditions Maspero ne montrent qu'un intérêt relatif et cèdent les droits à CLE qui republie l'ouvrage en 1980. Dans ces conditions, on comprend que Paulin Hountondji ait souhaité publier en Afrique[17], entre autres, *Combats pour le sens*, ouvrage tiré du document de synthèse rédigé lors de sa soutenance sur travaux en vue du doctorat d'État devant l'Université de Dakar en juin 1995 ou *Les Savoirs endogènes*. Pour le dire autrement : c'est l'édition africaine qui maintient ainsi les exigences de l'activité philosophique.

---

[17] Pour un état des publications de P. Hountondji, on se reportera à la bibliographie figurant dans *Combats pour le sens* (Hountondji 1997 : 280-284).

Dans un tout autre registre, le cas de l'écrivain camerounais René Philombe[18] (1930-2001) représente un autre exemple significatif d'enracinement éditorial local. Fils d'un employé de l'administration coloniale, il effectue des études jusqu'à l'École Primaire Supérieure de Yaoundé où il entre en 1944. À sa sortie, en 1947, il occupe un poste dans la magistrature puis entre dans la police nationale où ses activités syndicales et les sympathies qu'il affiche pour le mouvement nationaliste ne facilitent pas sa carrière. Au début des années 1950, il est atteint de poliomyélite et devient gravement handicapé. Mais loin de l'isoler ou de l'abattre, la maladie ne fait que stimuler chez lui un intérêt ancien pour le journalisme et l'écriture, comme on peut s'en rendre compte dans son premier ouvrage publié, un recueil de nouvelles : *Lettres de ma cambuse* (Philombe 1964). Assez rapidement, Philombe devient une personnalité de la vie culturelle et littéraire du Cameroun. Dès la fin des années 1950, il œuvre sans relâche, dans des conditions matérielles difficiles et dans un contexte politique ne favorisant nullement les écrivains et les artistes – il sera d'ailleurs arrêté et détenu à deux reprises –, pour doter son pays d'une littérature nationale, critique et dépourvue de toute complaisance à l'égard des différents pouvoirs.

Parmi les étapes importantes de cette activité, on notera d'abord le lancement en 1957 de deux journaux : *La Voix du Citoyen* et *Bebela Ebug* (en ewondo). Puis, la fondation en 1960, avec sept autres écrivains, de l'APEC (Association des Poètes et Écrivains Camerounais) dont il sera le secrétaire général jusqu'en 1981.

[18] Pseudonyme de Philippe Louis Ombede, forgé à partir des premières lettres de chaque terme. Pour une biographie de Philombe, voir la notice que lui consacre *A New Reader's Guide to African Literature* (Zell, Bundi, Coulon 1983 : 465-468). Voir également dans l'ouvrage de Philombe, *Le Livre camerounais et ses auteurs*, la notice biobibliographique que l'écrivain donne de lui-même (Philombe 1966a : 287-289).

L'APEC publie à partir de 1964 un journal qui paraît de façon irrégulière, *Le Cameroun Littéraire*, et organise, en dépit d'un financement toujours problématique, de nombreuses manifestations à Yaoundé comme dans le reste du pays : rencontres avec des écrivains, conférences, représentations théâtrales, etc. Le nombre d'adhérents augmente régulièrement passant de 8 au moment de la fondation à 120 lorsque Philombe cesse ses fonctions de secrétaire général (Zell, Bundy et Coulon 1983 : 466). Cette activité contribue à donner une visibilité à la littérature camerounaise dans les langues européennes et dans les langues africaines et, à cet égard, l'essai très documenté que publie Philombe sur *Le Livre camerounais et ses auteurs* demeure, même aujourd'hui, un instrument irremplaçable, en particulier par les 231 notices d'écrivains et d'intellectuels figurant dans la dernière partie de l'ouvrage (Philombe 1966a : 225-299).

Parallèlement, depuis la publication des *Lettres de ma cambuse* en 1964, Philombe mène une importante activité d'écrivain et, à sa mort, il était l'auteur d'une vingtaine d'ouvrages : recueils de poèmes, pièces de théâtre, romans et nouvelles, essais. Une partie de ces œuvres fut publiée chez CLE. C'est le cas d'un deuxième recueil de nouvelles, *Histoires queue-de-chat* (Philombe 1971a) et des romans *Sola ma chérie* (Philombe 1966b) et *Un sorcier blanc à Zangali* (Philombe 1969). Mais, à partir du début des années 1970, il semble que CLE se soit montré réservé devant le radicalisme des écrits de Philombe[19] et ce dernier a cherché alors à exercer lui-même une activité éditoriale. Ainsi, il publie aux éditions de l'APEC une première pièce de théâtre, *Les Époux célibataires* (Philombe 1971b) puis redonne vie aux éditions Semences Africaines qu'il avait créées dès 1966 et qui avaient

[19] C'est l'hypothèse qu'avance le *New Reader's Guide* (Zell, Bundy et Coulon 1983 : 467).

publié *Le Livre camerounais et ses auteurs*. À Semences Africaines, il publie notamment une deuxième pièce de théâtre, *Africapolis* (Philombe 1978a) ainsi que des recueils de poèmes : *Les Blancs partis, les nègres dansent* (Philombe 1973), *Petites gouttes de chant pour créer l'homme* (Philombe 1977) et *Choc anti-choc* (Philombe 1978b). À la fin des années 1970, lassé par les difficultés financières, René Philombe prend ses distances avec les éditions qu'il avait créées comme il le fera à peu près au même moment avec l'APEC et il se retire dans la ville de Batchenga. Mais il ne renonce pas à certains projets qui lui étaient chers : en 1982, il publie chez Silex, maison fondée et dirigée par Paul Dakeyo, un recueil de poèmes, *Espaces essentiels* (Philombe 1982) et il tente d'éditer par souscription[20] un roman centré sur la figure d'un militant de l'UPC, *Bedi-Ngula, l'ancien maquisard* (Philombe 2002). Mais le roman ne paraîtra en réalité qu'un an après la mort de Philombe en Allemagne, et dans sa version originale française.

L'itinéraire de Philombe est significatif par la façon dont l'activité de l'écrivain est inséparable de celle de l'éditeur. Dans les deux domaines, il a affirmé avec beaucoup de force sa volonté de créer et d'enraciner au Cameroun ce qu'Ambroise Kom appelle fort justement une véritable « institution littéraire » et de faire en sorte que celle-ci puisse résister à tous les périls qui la menacent :

---

[20] Je possède un exemplaire, reproduit sur stencil, de ce bon de souscription remis par l'auteur en 1985. Philombe faisait état du nombre de pages prévu : 260 pages environ. Il indiquait aussi que ce roman qui n'existait que sous forme manuscrite avait déjà fait l'objet « d'un important mémoire à l'Université de Yaoundé en 1984 ». En outre, l'auteur annonçait qu'un éditeur allemand avait donné son accord pour une traduction « dans la langue de Goethe et de Karl Marx ». Le bon proposait également à la vente *Hallalis et chansons nègres (poésie)* qui avait déjà paru aux Éditions Semences Africaines en 1973.

> De tous les écrivains camerounais, René Philombe est certainement celui que les circonstances ont le moins servi. Mais il est sans doute celui qui s'est le plus investi pour organiser sur place, au Cameroun une vie littéraire animée. Son opiniâtreté à amorcer la création d'institutions durables relève pour ainsi dire de la légende. (Kom 2012 : 112)

Cet enracinement dans l'espace intellectuel camerounais et cette volonté d'autochtonie éditoriale s'expliquent sans doute par la formation largement autodidacte de Philombe qui rendait plus difficile l'accès de l'écrivain à ces réseaux interafricains ou eurafricains dont bénéficièrent, par exemple, des écrivains comme Senghor, Mongo Beti ou Cheikh Hamidou Kane. Cependant, ces facteurs n'empêchèrent nullement Philombe d'acquérir assez vite une audience qui allait bien au-delà du Cameroun. Cet élargissement, lié aux traductions qui furent faites de plusieurs œuvres de l'écrivain en anglais, allemand et russe[21] et à l'engagement social et politique des écrits de ce dernier, permit ainsi à Philombe d'effectuer plusieurs voyages, notamment aux Etats-Unis et en Allemagne, respectivement en 1977 et 1979.

## La littérature et le local

L'activité éditoriale telle qu'elle se manifeste en Afrique depuis plus d'un siècle et dont on a suivi les contours et l'évolution peut apparaître ainsi comme une tentative visant à redonner aux Africains une initiative sociologique sur les plans politique, culturel et littéraire. Mais la façon dont les Africains ont conçu

---

[21] Quelques exemples : *Lettres de ma cambuse* et *Histoires queue-de-chat* en anglais par Richard Bjornson (1977 et 1980) ; *Un sorcier blanc à Zangali* en allemand par Hermine Reichert (1980) et une deuxième version en RDA (1983) ; *Petites gouttes de sang pour créer l'homme* en allemand par Armin Kerken (1980) et en russe par Alexandre Karlo (1981) ; *Choc anti-choc* en allemand par A. Kerker (1980).

cette reprise de l'initiative et les pratiques par lesquelles elle s'est traduite ont varié, non seulement dans le temps, mais parfois aussi d'un écrivain à l'autre au cours d'une même période et c'est cette variation et cette variété qui peuvent constituer la matière d'une historiographie de l'édition africaine.

Mais plutôt que de considérer celle-ci dans une perspective finaliste qui aboutirait à souligner une sorte d'affirmation croissante du rôle des Africains en matière d'écriture et d'édition, il me semble préférable d'envisager cette histoire comme la succession – et parfois la répétition – d'un certain nombre de solutions dans ce processus de reprise de l'initiative. Ainsi, pour accéder à la publication, Mofolo, Duguay-Clédor et Couchoro sont demeurés tributaires, sous des formes diverses, des cercles religieux ou administratifs européens mais les œuvres qu'ils ont produites sont en définitive d'une grande originalité car elles ne correspondent guère à ce que le colonisateur attendait des Africains en matière d'écriture. Par la suite, le mouvement qui, à partir de la fin des années 1930, conduit de plus en plus d'écrivains à se faire éditer dans les grandes métropoles – Londres ou Paris – et la création au lendemain de la Deuxième Guerre de Présence Africaine, revue puis maison d'édition, n'a rien d'un exil. Il illustre seulement ce paradoxe de la situation coloniale selon lequel c'est souvent au cœur des métropoles coloniales que l'Afrique littéraire et éditoriale réussit le mieux à faire entendre sa voix[22]. À l'inverse, la création au cours des années 1970 des Nouvelles Éditions Africaines peut apparaître comme une volonté de rompre avec un certain cosmopolitisme et de faire de l'Afrique un espace d'écriture et d'édition. Incontestablement, une entreprise comme les NEA a permis de

[22] Paradoxe qu'illustrent aussi les écrivains et les artistes africains américains installés à Paris après la Première Guerre mondiale comme après la Deuxième.

faire apparaître dans le champ littéraire un grand nombre d'écrivains ou essayistes nouveaux, telle Mariama Bâ, l'auteur d'*Une si longue lettre*, ce roman si emblématique. Mais les difficultés inhérentes à toute entreprise réunissant plusieurs partenaires, puis, après l'éclatement de celle-ci en plusieurs entités nationales (Sénégal, Côte d'Ivoire, Togo), les lourdeurs dans la gestion en raison du rôle de l'État ont suscité des réticences et des oppositions qui confèrent au nouveau mouvement éditorial observé aujourd'hui en Afrique un caractère de réaction plus ou moins alternatif.

De la sorte, cette historiographie de l'activité éditoriale sur le continent africain pourrait se résumer schématiquement au trajet suivant : Afrique, Europe, Afrique à l'ère de l'imprimerie, Afrique à l'ère d'Internet. À vrai dire, ces différentes étapes ne constituent pas une succession dans la mesure où chacune d'entre elles correspond plutôt à une façon de concevoir la localisation de cette activité en déterminant chaque fois l'espace qui paraît le plus favorable à l'expression d'une littérature africaine.

Un tel schéma ouvre ainsi sur une réflexion concernant la définition du local et, par là-même, de la relocalisation et, à cet égard, quelques points sont à souligner plus spécialement. On constate d'abord qu'il est difficile de se contenter d'une définition spatiale de ces notions. La création à Paris de Présence Africaine comme la publication de textes chez des éditeurs français de littérature générale montre que la « présence » de l'Afrique peut s'affirmer à l'extérieur du continent africain et, en outre, que cette option est une façon d'échapper à la pression qu'exerce le colonisateur dont la politique scolaire et culturelle valorise fortement le local africain. Ce qui nous permet au passage de prendre la mesure du paradoxe profond de la colonisation : ce phénomène, venu d'ailleurs, qui représente déjà une première forme de mondialisation fonde son pouvoir et une grande partie de sa légitimité en prétendant défendre le noyau dur de l'africanité qu'elle est censée connaître mieux que les Africains eux-mêmes. On voit donc également qu'il est difficile d'établir, sur la base d'une « identité » africaine plus ou moins affirmée, une hiérarchie entre les deux grands secteurs d'écriture et d'édition existant parallèlement en Afrique et en Europe et encore plus de tracer une frontière absolument étanche entre ces deux espaces qui, hier comme aujourd'hui, ne cessent en fait de communiquer : processus qu'illustrent entre autres Mongo Beti, Kourouma, Henri Lopes, Mabanckou, et même Hampâté Bâ pour une part importante de son œuvre. C'est pourquoi on comprend l'indignation de Waberi, lorsqu'il s'élève contre le projet d'ouvrage collectif lancé récemment par Joseph Ndinda, professeur à l'Université de Ngaoundéré, sur « Le colonisé et l'immigré. L'idéologie coloniale dans la littérature afro-parisienne » : « Un continuum colonisé-immigré est donné comme pour allant de soi ; les pauvres écrivains incriminés (car il n'y a pas d'autre mot) sont placés corps et âme sous la coupe de Gobineau ; et l'homme que je suis trouve un tel parrainage proprement blessant et encombrant » (Waberi 2013).

Par ailleurs, sur un plan plus proprement théorique, la difficulté que l'on rencontre si on se limite à une définition purement spatiale du local et du mondial se trouve éclairée par la prise en compte des deux facteurs qui ont contribué largement à l'essor actuel de l'activité éditoriale en Afrique : l'informatique et l'accès à Internet, deux outils dont l'utilisation entraîne deux conséquences dont les effets se conjuguent. Le premier rend inutile et incertain la notion de localisation dès lors qu'on l'envisage à propos de la production d'un texte ; le second, en permettant la constitution de réseaux reliés entre eux, souligne que, désormais ce qui compte, en matière d'écriture et d'édition, c'est la connexion, bien plus que la localisation qui peut s'avérer bien difficile à repérer. Un tel changement de perspective épistémologique rappelle celui qui s'est opéré en médecine et en neurologie lorsque l'on a commencé à remettre en cause la problématique – et l'intérêt – des localisations cérébrales. Comme le note Simon-Daniel Kipman dans un passage de *L'Oubli et ses vertus* :

> On a tort de vouloir réserver telle ou telle fonction à telle ou telle zone du cerveau ; mais [...] des connexions sont multiples, évolutives et mobilisables dans de très nombreux sens. Une réflexion sur ce thème fondée sur les théories de la pensée, dont la psychanalyse, pourrait sans doute éclairer nos modernes anatomistes. (Kipman 2013 : 83)

On se souviendra enfin que le questionnement mené précédemment qui, au demeurant, n'est pas propre à la situation littéraire de l'Afrique, s'inscrit en réalité dans un double contexte traversé de paradoxes ou, peut-être même, d'apories. D'un côté, nous percevons le lien étroit, constitutif, qui s'est établi entre le mondial et le local. De l'autre, nous découvrons que le mouvement éditorial qui se développe en Afrique depuis une vingtaine d'années peut être situé dans le cadre général d'un examen des lieux de la production littéraire, lieux qui se définissent selon des critères objectifs (localisation géographique des éditeurs, appréciation de leur importance en termes marchands, diffusion, langues, etc.) et des critères, d'ordre symbolique, renvoyant notamment au statut que les éditeurs occupent au sein du champ littéraire, à un moment donné de l'histoire. Au-delà, une telle démarche peut déboucher sur le problème plus fondamental de la relation entre textes et espaces africains. En d'autres termes : les textes précèdent-ils l'Afrique ou, au contraire, est-ce l'Afrique qui précède les textes ?

## Ouvrages cités

Bâ, Amadou Hampâté. 1992 [1973]. *L'Étrange destin de Wangrin ou les roueries d'un interprète africain*. Paris : UGE (10-18).

Couchoro, Félix. 1950. *Drame d'amour à Anecho*. Ouidah : Imprimerie Mme P. d'Almeida.

—— 1963. *L'Héritage, cette peste. Les secrets d'Eléonore*. Lomé : Imprimerie Éditogo.

—— 2005. *Œuvres complètes. Tome I.* London, Ontario : Mestengo Press.

—— 2006. *Œuvres complètes. Tome II.* London, Ontario : Mestengo Press.

Duguay-Clédor, Amadou. 1985 [1912] [1913]. *La Bataille de Guîlé* suivi de *De Faidherbe à Coppolani ou les Gandiols-Gandiols au service de la France*. Dakar : NEA.

Garnier, Xavier. 2006. *Le Roman swahili. La notion de « littérature mineure » à l'épreuve*. Paris : Karthala.

Garnier, Xavier & Ricard, Alain, (Éd.). 2007. *L'Effet roman. Arrivée du roman dans les langues africaines*. Paris : L'Harmattan (Itinéraires et Contacts de Cultures, N° 38).

Gerhmann, Susanne & Gronemann, Claudia, (Éd.). 2006. *Les EnJEux de l'autobiographie dans les littératures de langue française. Du genre à l'espace. L'autobiographie postcoloniale. L'hybridité*. Paris : L'Harmattan.

Hountondji, Paulin. 1976. *Sur la « philosophie africaine ». Critique de l'ethnophilosophie*. Paris : Maspero. [1980. Yaoundé : CLE].

—— (Éd.). 1994. *Les Savoirs endogènes. Pistes pour une recherche*. Dakar : CODESRIA.

—— 1997. *Combats pour le sens. Un itinéraire africain*. Cotonou : Éditions du Flamboyant.

Kipman, Simon-Daniel. 2013. *L'Oubli et ses vertus*. Paris : Albin Michel.

Kom, Ambroise. 2012 [1993]. « René Philombe, une institution littéraire en péril » In : Kom, Ambroise. *Le Devoir d'indignation. Éthique et esthétique de la dissidence*. Paris : Présence Africaine.

Konaré, Adama Bâ (Dir.). 2008. *Petit précis de remise à niveau sur l'histoire africaine à l'usage du président Sarkozy*. Paris : La Découverte.

Lüsebrink, Hans Jürgen. 2003. *La Conquête de l'espace public colonial. Prises de paroles et formes de participation d'écrivains et d'intellectuels africains dans la presse à l'époque coloniale (1900-1960)*. Francfort sur le Main : IKO.

Mofolo, Thomas. 1907. *Moeti oa Bochabela*. Morija : Morija Sesuto Book Depot. Traduction anglaise par H. Aston. 1934. *The Traveller of the East*. Londres : Society for Promoting Christian Knowledge. Traduction française par Victor Ellenberger, revue par Paul Ellenberger. 2003. *L'homme qui marchait vers le soleil levant*. Bordeaux : Éditions Confluences.

—— 1910. *Pitseng*. Morija : Morija Sesuto Book Depot. Traduction française par R. Leenhardt. *Pitseng, l'heureuse vallée*. Manuscrit inédit.

—— 1925. *Chaka*. Morija : Morija Sesuto Book Depot. Traduction anglaise par F.H. Dutton. 1931. *Chaka, an Historical Romance*. Londres : International African Institute/Oxford University Press. Traduction française par V. Ellenberger. 1940. *Chaka, une épopée bantoue*. Paris : Gallimard.

Mouralis, Bernard. 2007 [2006]. « Les écrivains francophones et l'essai : littérature d'idées ou prise de position ? ». In : Mouralis, Bernard. *L'illusion de l'altérité. Études de littérature africaine*. Paris : Champion. 481-507.

Philombe, René. 1964. *Lettres de ma cambuse*. Yaoundé : CLE.

—— 1966a. *Le Livre camerounais et ses auteurs*. Yaoundé : Éditions Semences Africaines.

—— 1966b. *Sola ma chérie*. Yaoundé : CLE.

—— 1969. *Un sorcier blanc à Zangali*. Yaoundé : CLE.

—— 1971a. *Histoires queue-de-chat*. Yaoundé : CLE

—— 1971b. *Les Époux célibataires*. Yaoundé : Éditions de l'APEC.

—— 1973. *Les Blancs partis, les nègres dansent*. Yaoundé : Éditions Semences Africaines.

—— 1977. *Petites gouttes de chant pour créer l'homme*. Yaoundé : Éditions Semences Africaines.

—— 1978a [1973]. *Africapolis*. Yaoundé : Éditions Semences Africaines.

—— 1978b. *Choc anti-choc, roman en poème (Écrits de prison), 1961*. Yaoundé : Éditions Semences Africaines.

—— 1982. *Espaces essentiels*. Paris : Éditions Silex.

—— 2002. *Bedi-Ngula, l'ancien maquisard*. Bayreuth : Eckhard Breitinger, Bayreuth University (Bayreuth African Studies Series). Préface de Joseph-Désiré Zingui.

Rabearivelo, Jean-Joseph. 1924. *La Coupe de cendres*. Tananarive : Pitot de la Beaujardière.

—— 1927. *Sylves. Nobles dédains, fleurs mêlées*. Tananarive : Imprimerie de l'Imerina.

—— 1928. *Volumes*. Tananarive : Imprimerie de l'Imerina.

Ricard, Alain. 1987. *Naissance du roman africain : Félix Couchoro, 1900-1968*. Paris : Présence Africaine.

Sadji, Abdoulaye. 1952. *Maïmouna, petite fille noire*. Dakar : Éditions Les Lectures faciles.

—— 1952. *Tounka, une légende de la mer*. Dakar : Imprimerie A. Diop.

—— 1958. *Maïmouna*. Paris : Présence Africaine.

—— 1960. *Modu Fatim*. Dakar : Imprimerie A. Diop.

—— 1965. *Tounka, nouvelle*. Paris : Présence Africaine.

Towa, Marcien. 1971a. *Essai sur la problématique philosophique dans l'Afrique actuelle*. Yaoundé : CLE.

—— 1971b. *Léopold Sédar Senghor : négritude ou servitude ?* Yaoundé : CLE.

—— 1979. *L'Idée d'une philosophie négro-africaine*. Yaoundé : CLE.

Waberi, Abdourahman A. 2013. « Lettre au professeur Joseph Ndinda de l'Université de Ngaoudéré ». *Liste de l'APELA* (Association pour l'Étude des Littératures Africaines). (http://www.apela.fr/apela/liste-de-diffusion/; accédé le 20 juillet 2014).

Zell, Hans M., Bundy, Carol et Coulon, Virginia. 1983. *A New Reader's Guide to African Literature*. London/Ibadan/Nairobi : Heinemann.

# L'édition littéraire en français d'Afrique francophone : ébauche d'un état des lieux

Bernard De Meyer (Université de KwaZulu-Natal)

---

**Abstract**

*The aim of this article is to analyze literary publishing in French by African publishing houses over the last 10 years or so, with special attentions to trends, strengths and weaknesses. In order to do so, the article is divided in two sections. In the first section, the field of study will be contextualized by existing studies and reports, and give a more general context, by looking at publishing generally in Africa (and not only in French). The evolving space occupied by Francophone African literature in a global environment will be touched upon. The second section is based on a questionnaire, sent to Francophone African publishing houses. Besides being an analysis of the results, the article aims to look at the limits of the study, which as a matter of fact expose to the problems facing publishing in Africa.*

**Keywords**: literary publishing in French; Francophone Africa; publishing houses; African literature in French

**Mots Clés** : édition littéraire en français ; Afrique francophone ; maisons d'édition ; littérature africaine en français

L'ambition bien modeste de cet article est, à partir d'un regard d'ensemble lancé sur ce qui a été publié dans le domaine littéraire en langue française en Afrique francophone depuis une dizaine ou une quinzaine d'années, de repérer les tendances au niveau de l'édition et de déceler les points forts et les faiblesses des instances éditrices. Pour mener à bien cette entreprise, je me suis proposé un développement en deux temps : dans un premier moment, je parcourrai certaines analyses récentes qui ont déjà été faites et des rapports y afférents ; ces documents parlent plutôt de l'édition en terre africaine en termes plus généraux, et donc moins axés sur la production littéraire, quelle que soit la langue. On analysera également brièvement la place qu'occupent les littératures francophones d'Afrique sur la scène mondiale. Le deuxième moment se construira à partir d'un questionnaire envoyé à un certain nombre de ces maisons d'édition. Au départ, j'avais conçu ce deuxième volet comme étant le plus important ; cependant, comme l'article le démontrera, il y aura quelques limites dans cette recherche ; limites qui sont cependant révélatrices de la situation sur le terrain.

**Panorama de l'édition en Afrique**

Ce n'est pas mon propos de rentrer dans l'histoire ancienne de cette édition, me limitant aux derniers développements et je propose en premier lieu de présenter une vue plus générale sur le continent entier et son importance mondiale en ce qui concerne la publication d'ouvrages. Selon des calculs récents, comme l'indique Luc Pinhas, l'Afrique, qui contient 14% de la population sur terre, n'aurait que 1,4% de la production éditoriale mondiale (Pinhas 2007 : 114). En 1960, la proportion était quasiment la même ; aussi assiste-t-on, compte tenu de la forte croissance démographique sur le continent, à une baisse de titres par million d'habitants. En outre, trois pays dominent cette production : l'Égypte, le Nigeria et l'Afrique du Sud. Or, plusieurs indicateurs semblent annoncer qu'une expansion du domaine de l'édition soit possible : parmi ceux-ci, on peut citer l'augmentation du taux d'alphabétisation et de scolarité, en particulier aux niveaux secondaire et universitaire, le renforcement d'une classe moyenne, éduquée, généralement urbaine, la visibilité croissante du livre grâce aux médias, etc. Par contre, des facteurs comme la multitude des langues ainsi que la concurrence par des éditeurs non seulement européens, mais (pour l'anglais principalement) également indiens ou même chinois, et le phénomène plutôt récent du *dumping* de livres (pratique consistant à importer de l'étranger des fins de collection et de surproductions revendues à prix réduit), portent un frein à la production locale[1]. Malgré ce tableau général quelque peu morose, on note, et je cite ici un rapport publié en mai 2012 par la Bibliothèque nationale de France sur le livre en Afrique francophone, que « dans les années 1990, toutefois, de nouvelles librairies et maisons d'édition ont commencé à renouveler la production et à professionnaliser le secteur, dans le domaine de la littérature de jeunesse, notamment » (Bibliothèque nationale de France 2012 : 1).

Par ailleurs, il est important de souligner, car il y a un lien de cause à effets, que la production littéraire en français elle-même, par des auteurs africains ou issus de l'Afrique mais vivant à l'étranger, a connu un développement remarquable, tant par le nombre de publications que par sa qualité perçue et par sa diversité. Les premiers bénéficiaires de cette explosion sont les maisons d'édition françaises, et plus particulièrement parisiennes. Comme l'explique Pascale Casanova dans *La République mondiale des lettres*, la Ville-Lumière continue à attirer des auteurs du monde entier à cause de son capital symbolique, à cause de « l'efficacité de la consécration des instances parisiennes » (Casanova 2008 : 173). Elle résume la situation ambiguë des écrivains africains de la façon suivante :

> La position des écrivains francophones est paradoxale, sinon tragique. Paris étant pour eux, inséparablement, la capitale de la domination politique et/ou littéraire et, comme pour tous les protagonistes de

---

[1] Pour Raphaël Thierry, les « différents mécanismes de don de livre à destination des lectorats africains [...] participent [...] à une dévalorisation de l'édition locale » (Thierry 2013 : 39).

> l'espace mondial, la capitale de la littérature, ils sont les seuls à ne pouvoir invoquer Paris comme tiers-lieu spécifique. Aucune alternative, aucune solution de rechange ne leur permet, en dehors d'un retrait dans leur espace national, [...] d'échapper à Paris ou de se servir de Paris pour inventer une dissidence esthétique. (*Ibid.* : 186)

Ce qui est particulièrement vrai pour les littératures africaines, qui n'ont pas encore pu se démarquer de l'ancienne métropole, l'est sensiblement moins pour la production des Caraïbes, ou, dans le cas des littératures en espagnol, les créations littéraires de l'Amérique latine, dont plusieurs auteurs ont été récompensés par le prix Nobel de littérature[2]. Or, il est intéressant de noter que l'effervescence au niveau de l'édition et de la publication sur le continent a lieu à un moment où la littérature africaine semble intégrer le monde, où elle se fait remarquer par un imaginaire commun, à un moment où on assiste au « réveil de l'écriture africaine dans la bibliothèque universelle » (Nganang 2007 : 59). Il semble donc que le retour à la source aille de pair avec une tentation de l'extérieur. L'Afrique, depuis le vingtième siècle, a toujours connu de grands écrivains, mais aujourd'hui elle commence à marquer le champ de son empreinte grâce à une dynamique collective (malgré les grandes différences parmi les

---

[2] Pour la région de la Caraïbe, les lauréats du Nobel sont Derek Walcott (1992) et Vidiadhar Surajprasad Naipaul (2001), les deux écrivant en anglais. Les auteurs latino-américains ayant obtenu le prix sont, outre Gabriela Mistral en 1945, Miguel Ángel Asturias (1967), Pablo Neruda (1971), Gabriel Garcìa Márquez (1982), Octavio Paz (1990) et Mario Vargas Llosa (2010). Les quatre prix Nobel de littérature attribués à des Africains sont ceux de Wole Soyinka (1986), de Naguib Mahfouz (1988), de Nadine Gordimer (1991) et de J. M. Coetzee (2003). Ils représentent ainsi les trois pays qui dominent la publication, à savoir le Nigeria, l'Égypte et l'Afrique du Sud. Notons la présence des deux sud-africains (blancs) ; le capital symbolique que représentait l'Afrique du Sud à cause de sa lutte contre l'apartheid semble avoir favorisé l'attribution de ces prix (en plus des quatre prix Nobel de la paix attribués à Albert Luthuli, Desmond Tutu, FW de Klerk et Nelson Mandela). Sur le rôle du prix Nobel de littérature, voir Fraisse (2011).

auteurs), dans laquelle le terme « africain » renvoie moins à un continent qu'à une façon d'aborder la littérature. Ainsi, le rôle de meneurs pris par plusieurs auteurs africains, tels Alain Mabanckou ou Abdourahman A. Waberi, dans l'effervescence autour de la publication du manifeste « Pour une "littérature-monde" en français » (Le Bris *et al* 2007), a permis de revisiter le positionnement des écritures de la périphérie, en particulier africaines, par rapport aux littératures consacrées du Nord. L'intérêt grandissant pour la production littéraire de l'Afrique est ainsi dû au volume et au succès de celle-ci – l'attribution régulière de prix littéraires de l'automne en est la preuve. Aussi faudra-il voir dans quelle proportion elle peut influencer cette production.

Cette croissance de la production littéraire par des Africains a attiré, outres les critiques, les instances de la Francophonie institutionnelle. Ainsi, Marc Cheymol, directeur de la langue et de la communication scientifique en français au sein de l'Agence Universitaire de la Francophonie, a dirigé l'ouvrage *Littératures au Sud* en 2009, qui est, et je cite la quatrième de couverture, « un ouvrage programmatique, à la fois institutionnel et scientifique : il balise la recherche sur les littératures, en francophonie et dans le monde, pour lui ouvrir des perspectives sans limiter son champ d'action » (Cheymol 2009 : 4ème de couv.) – on ressent le lien entre le politique et le scientifique. Suite aux pionniers, tels Jacques Chevrier, Lilyan Kesteloot ou encore Bernard Mouralis, qui n'ont pas seulement introduit les littératures africaines dans l'institution et les discours universitaires, mais ont aussi mené des analyses profondes qui continuent à marquer l'appareillage critique actuel, d'autres chercheurs ont poursuivi ce travail de déblaiement, que ce soit vers la popularisation et la vulgarisation, voire la didactisation, tel un Bernard Magnier (2012)[3], ou des recherches constamment remises à jour par l'apport de nouvelles approches critiques, en particulier liées à la postcolonialité.

Dans le domaine de la recherche sur l'édition en Afrique, il est opportun de faire mention ici des contributions de Luc Pinhas, dont j'ai déjà indiqué le nom, et de Mamadou Aliou Sow. Le premier a publié un état des lieux extrêmement complet en 2005 : *Editer dans l'espace francophone : législation, diffusion, distribution et commercialisation du livre*, qui met en lumière les défis quotidiens. Le deuxième, fondateur d'une des jeunes maisons d'édition dynamiques du continent, Ganndal en Guinée, ex-président du Réseau des éditeurs africains (connu sous son acronyme anglais APNET), est un excellent exemple d'un travailleur acharné sur le terrain qui, acteur et influenceur, utilise tous les moyens pour promouvoir l'édition en Afrique[4].

Ce sont d'ailleurs, « dans le contexte de la modialisation des marchés éditoriaux » (Thierry 2013 : 38), ces réseaux qui tentent de redynamiser l'édition en Afrique. Ainsi, une cinquantaine de structures sont représentées dans Afrilivres, l'association des éditeurs francophones au Sud du Sahara, créée en 2002. D'autres

---

[3] Grâce à son *Panorama des littératures francophones d'Afrique* qui présente « 250 œuvres de près de 150 écrivains » (Magnier 2012 : 4), Bernard Magnier, dans son ambition « de présenter la richesse et la diversité des littératures africaines écrites en français » (*Ibid.* : 3), se démarque des anthologies qui souvent sont limitées aux *classiques* et aux *canons*. De plus, l'ouvrage donne la maison de la première édition, parmi lesquelles on retrouve les quelques éditeurs importants de naguère (tel NEA) et des établissements nord-africains plus récents, comme Barzakh ou Elizad. Aucune jeune maison de l'Afrique noire n'y figure toutefois. Disponible gratuitement sur Internet, avec le soutien des instances de la Francophonie, cet ouvrage pourrait fort bien influencer les tirages.

[4] À lire en particulier sa contribution publiée dans le numéro 57 d'*Africulture*, dont le thème est « Où va le livre en Afrique ? » (Aliou Sow 2003).

réseaux ne sont pas limités au continent africain : l'Alliance internationale des éditeurs indépendants, multilingue, qui propose plusieurs espaces linguistiques, rassemble près de 40 éditeurs, dont la moitié provient de l'Afrique. Mentionnons au passage *Takam Tikou*, dont l'objectif principal est de promouvoir la lecture en Afrique, dans le Monde Arabe, l'Océan Indien et les Caraïbes, et offre un carnet d'adresses bien utile. Au niveau de la diffusion, l'Oiseau Indigo, basé à Arles, est une initiative au service des éditeurs des mondes arabe et africain qui s'occupe de la diffusion et de la promotion auprès des bibliothécaires français, suisses et belges. Par ailleurs, Afrilivres s'est associé avec l'Alliance internationale des éditeurs indépendants, ainsi que l'Institut français et l'Association Internationale des Libraires francophones, pour étudier des modèles de diffusion et de distribution du livre africain en Afrique. Ce partenariat s'est établi suite à une enquête sur la situation d'Afrilivres qui met en évidence : la fragilité de la situation financière, un volume d'échange limité, ainsi qu'un déficit de communication et d'outils de promotion, qui ont pour conséquence une image globalement négative et des membres de plus en plus démobilisés (Centraider 2010). Des actions sont menées qui visent à introduire la cession des droits, à favoriser la professionnalisation, les échanges et la formation, à, en fin de compte, faire voyager le livre.

Terminons cet aperçu en mentionnant « Terres solidaires ». En rachetant les droits des textes à des éditeurs français qui participent au projet, en jouant la mise en commun, un texte littéraire est reproduit à un coût sensiblement moins élevé que si le livre devait être importé. Coédités par dix éditeurs africains (Barzakh ; Ruisseaux d'Afrique ; Sankofa & Gurli ; Éburnie ; Ifrikiya ; Lemba ; Atou production ; Le Fennec ; Graines de pensées et Ikirezi), les titres sont diffusés dans dix-huit pays d'Afrique et les exemplaires sont vendus en monnaie locale. L'annonce sur le site se passe de commentaires :

> La collection « Terres solidaires », créée en 2007, repose sur un principe de « restitution » au Sud de textes littéraires écrits par des auteurs africains, publiés initialement au Nord. Par le biais de la coédition solidaire et grâce à l'appui d'éditeurs français, des éditeurs en Afrique publient à des prix les plus accessibles possible pour le lectorat, des textes majeurs d'auteurs africains. (*Alliance internationale des éditeurs indépendants*, s.d.)

À ce jour, une douzaine de romans africains ont ainsi été publiés et diffusés dans plusieurs pays du continent.

## L'enquête

L'enquête sur le terrain semblait au départ bien aisée : on prépare le questionnaire, on l'envoie aux maisons d'édition et finalement on récolte les données par les analyser. Le questionnaire[5] combine deux sortes d'interrogations : les unes concernant des données spécifiques, les autres la perception que la maison d'édition a sur sa propre situation. Ce qui m'intéressait particulièrement dans cette recherche était la visibilité des entreprises, que ce soit au niveau des publications, de la distribution et de la diffusion, et, d'une façon plus abstraite, de la renommée. Une première série de questions permettait d'obtenir un portrait-robot de l'intéressé, une carte d'identité comme dans l'ancien temps où l'on demandait encore la forme du visage et la couleur des yeux : l'âge, la structure de direction, donc le poids, et on voulait aussi connaitre le statut juridique.

Par la suite, le questionnaire s'attarde sur la production des cinq dernières années. Le sujet étant la production littéraire en français, son importance est comparée avec la production en d'autres langues, ainsi que d'autres types de publications : principalement l'édition scolaire et parascolaire, les sciences

---

[5] Voir le questionnaire en annexe.

humaines (y compris la critique littéraire), les bandes dessinées, les livres pour enfants, les livres pratiques (guides, cuisine, jardinage, etc.), et ainsi de suite. La partie suivante s'intéressait aussi bien à la rentabilité de l'entreprise qu'à son emplacement sur l'échiquier éditorial mondial : co- et republications, disponibilité, succès. Par après, on s'intéresse aux auteurs inclus sur le catalogue – débutants ou confirmés (par exemple la proportion de premières publications), habitant dans le pays ou à l'étranger (y compris les écrivains nationaux qui ont émigré). Cela est suivi par une partie sur la présence virtuelle, en particulier le site de la maison. Pour terminer, plusieurs questions ouvertes avaient pour but d'offrir une autoreprésentation ; la question finale portait ainsi sur une « vision 2020 » : comment voit-on la maison dans 5 ou 6 ans ?

La première étape, qui semblait toute simple, était de dresser une liste d'éditeurs et de retrouver leurs adresses mail. Certains étaient assez visibles, en particulier ceux qui font partie d'associations, comme Afrilivres, mais d'autres se cachaient dans les recoins de l'hyperespace. Un premier constat est que le monde virtuel n'est pas un univers pour les petits et les faibles, et que des regroupements ont forcément plus de visibilité. Le site d'Africultures, dont l'adresse est www.africultures.com, est ainsi bien utile, car il répertorie les « structures » de la production culturelle, y compris les libraires et les maisons d'édition. Les données sont toutefois rapidement datées, et une mise à jour régulière est une nécessité. De plus, les renseignements manquent en général de détails, et là aussi il faudrait un développement.

En continuant à établir ma base de données, les adresses mail furent un véritable casse-tête. L'univers de la messagerie électronique est caractérisé par sa fluidité : les adresses changent régulièrement, que ce soit le serveur qui périclite ou le directeur qui change (dans certains cas, l'adresse pour une maison est celui d'une personne, et pas de l'entreprise elle-même). Certaines entreprises fusionnent, d'autres changent de nom, d'autres encore disparaissent complètement, pour parfois réapparaitre sous une autre forme et appellation. Après une navigation virtuelle qui a duré quelques semaines, une liste d'environ soixante-dix adresses mail, correspondant toutes à des maisons d'édition, a été établie ; cette liste comportait néanmoins quelques doublons, quand il y avait des doutes sur l'adresse qui pourrait fonctionner. Le questionnaire a alors été envoyé, avec un message explicatif, en paquet d'une quinzaine d'adresses à la fois.

À peine dix minutes après l'envoi, près de vingt réponses avaient déjà été renvoyées (un résultat à première vue inespéré), mais il s'agissait uniquement de réponses automatiques pour signaler que le destinateur était inconnu. De plus, il est fort probable que des messages aient été dirigés vers le *junk mail* par des serveurs soucieux de leur intégrité. Un message avec une pièce jointe, distribuée à une quinzaine de personnes, éveille forcément des soupçons automatiques, et cela se termine avec un blocage du message, dont l'expéditeur n'est pas forcément au courant. En particulier yahoo.fr, fortement apprécié en Afrique de l'Ouest, ayant connu de gros problèmes de piraterie il y a quelques années, a multiplié ses défenses et il suffit de peu de choses pour qu'un message, même émanant d'un site universitaire, soit considéré comme un pourriel.

Dans ces conditions, en plus du fait que généralement les gens n'aiment pas trop répondre à un interrogatoire de recherche provenant d'un inconnu, il n'est peut-être guère étonnant que seulement quatre questionnaires dûment complétés ont été renvoyés. Vu ce nombre restreint, les résultats, d'un point de vue statistique, ont peu de valeur scientifique. Cependant, on peut en tirer quelques commentaires préliminaires qui pourront nourrir une recherche plus poussée dans l'avenir.

Dans l'ensemble, on a obtenu une belle fourchette : une maison relativement grande, bien établie, et trois maisons, parmi les plus énergiques, créées entre 2005 et 2010, au Cameroun, au Togo et au Gabon. Ayant un personnel extrêmement réduit (en particulier les nouvelles venues – c'est toutefois le lot des maisons indépendantes sur toute la planète), elles font preuve d'une grande vivacité, publiant en moyenne plus de dix ouvrages de fiction en français par an. Le roman prédomine, alors que la littérature de jeunesse semble être le premier sous-champ qui s'est affranchi[6]. Les tirages sont modestes, et pour les quatre maisons qui ont répondu à l'enquête, entre 20 et 38 pour cent des ouvrages sont rentables. Une de ces entreprises n'a, jusqu'à ce jour, participé à aucune co-publication ou republication ; les trois autres coéditent régulièrement avec des collègues africains ou européens, et republient des ouvrages parus précédemment dans le Nord. La majorité des auteurs vivent dans le pays où ils sont édités (entre 50 et 80 pour cent) et la moitié des publications proviennent d'auteurs débutants.

Les enquêtés sont conscients des défis : l'entrée dans l'ère de l'informatique (comme les ventes en ligne et la visibilité virtuelle), la circulation locale et internationale, et, je cite une des réponses : « faire du livre un outil de développement, contribuer à l'émergence d'une véritable industrie du livre en Afrique ». Il est important de souligner ici que les éditeurs sont principalement des dilettantes, des amateurs du livre et que les préoccupations commerciales, bien que pressantes, ne forment pas la motivation principale. Comme le souligne l'un d'eux : « il y a un marché du livre qui se crée en Afrique. Les habitudes changent, les gens lisent de plus en plus, ce qui est de nature à nous conforter dans notre passion ».

---

[6] À lire à ce propos l'état des lieux fort complet établi par Javier de Agustín (2012).

**Conclusion**

Cet article offre moins un état des lieux qu'un parcours de recherche, qui en outre n'a pas vraiment abouti. On peut cependant en tirer des enseignements précieux, car il met en évidence un manque de présence et de rayonnement. On peut bien sûr se demander si une grande visibilité virtuelle est nécessaire, car ces entreprises attirent en premier lieu des écrivains locaux et un public local, et une enseigne avec pignon sur rue semble dans ce cas plus efficace qu'une quelconque hyperréalité. Toutefois, il est dans l'intérêt de ces maisons et des écrivains qu'ils publient que leur existence et leur activité soient mises en valeur en dehors du circuit local. On peut donner ici l'exemple de Sami Tchak, qui a publié son dernier roman, intitulé *L'Ethnologue et le sage* (2013) aux éditions ODEM à Libreville. Alors que l'ouvrage est mentionné sur le site « Librairie internationale » de L'Harmattan, il n'apparait ni sur Amazon, ni sur le site de la Fnac – et n'existerait donc pas vraiment pour ce qu'on nomme le public général ; pour preuve, ce roman est absent de Wikipédia, ce qui n'aurait plus que probablement pas été le cas si la maison d'édition était française.

Comme elles agissent sur le terrain, ces maisons sont particulièrement efficaces pour dénicher un nouvel auteur. La demande dépasse de loin l'offre, ce qui est une garantie de qualité. Pour pouvoir dépasser ces limites, la meilleure solution semble être, à l'heure actuelle, de participer à des réseaux et de promouvoir les co-publications et les republications pour le marché africain des succès littéraires. Comme le signale Frédéric Mambenga-Ylagou, résumant les travaux du colloque *Autour de l'édition et de la diffusion des littératures africaines* qui s'est tenu à Libreville en novembre 2011, il est nécessaire qu'il y ait « une volonté des acteurs de consolider davantage les fondements d'un espace relationnel entre les éditeurs et les structures de diffusion »

(Mambenga-Ylagou 2013 : 13). Ceci implique le maintien des liens avec les anciennes Métropoles ainsi que leur diversification, mais aussi le renforcement des réseaux sur le continent africain.

## Ouvrages cités

Agustín, Javier de. 2012. « La littérature d'enfance et de jeunesse en francophonie africaine subsaharienne : quelques repères documentaires ». *Anales de Filologìa Francesa*, 20 : 5-23.

Alliance internationale des éditeurs indépendants. S.d. « Les livres. Collection Terres solidaires ». (http://www.alliance-editeurs.org/+-terres-solidaires-+?lang=fr; accédé le 20 juillet 2014).

Bibliothèque nationale de France. 2012. *Le Livre en Afrique francophone. Bibliographie sélective à l'occasion de l'Atelier du livre du 15 mai 2012*. (http://http://www.bnf.fr/documents/biblio_livre_afrique.pdf; accédé le 20 juillet 2014).

Casanova, Pascale. 2009 [1999]. *La République mondiale des lettres*. Paris : Seuil.

Centraider. 2010. *Commission Afrique : les filières d'éditions du livre en Afrique. Compte-rendu*. (http://www.centraider.org/dyn/agenda_centraider/reunions_geographiques/afrique/2010/compte-rendu-commission_afrique-11dec2010.pdf; accédé le 20 juillet 2014).

Cheymol, Marc (Dir.). 2009. *Littératures au Sud*. Paris : Editions des Archives contemporaines.

Fraisse, Emmanuel. 2001. « Le prix Nobel de littérature, prix de la littérature mondiale ? ». *French Studies in Southern Africa*, 41 : 101-117.

Le Bris, Michel *et al.* 2007. « Pour une "littérature-monde" en français ». *Le Monde*, 16 mars.

Magnier, Bernard. 2012. *Panorama des littératures francophones d'Afrique*. Paris : Institut français. (http://www.institutfrancais.com/sites/default/files/01-Panorama-HD.pdf; accédé le 20 juillet 2014).

Mambenga-Ylagou, Frédéric. 2013. « Avant-propos ». In : Mambenga-Ylagou, Frédéric & Mombo, Charles Edgar (Dir.). *Autour de l'édition et de la diffusion des littératures africaines*. Libreville : ODEM. 11-15.

Nganang, Patrice. 2007. *Manifeste d'une nouvelle littérature africaine. Pour une écriture préemptive*. Paris : Homnisphères.

Pinhas, Luc. 2005. *Éditer dans l'espace francophone. Législation, diffusion, distribution et commercialisation du livre*. Paris : Alliance des éditeurs indépendants.

———. 2007. « L'Édition africaine à la croisée des chemins ». *Africultures*, 69 : 114-119.

Sow, Mamadou Aliou. 2003. « Défis et perspectives de l'édition francophone africaine d'aujourd'hui ». *Africultures*, 57 (*Où va le livre en Afrique ?*) : 9-12.

Tchak, Sami. 2013. *L'Ethnologue et le Sage*. Libreville : ODEM.

Thierry, Raphaël. 2013. « De l'édition camerounaise au marché international du livre ». *African Research & Documentation, Journal of Scolma*, 123 : 37-47.

## Annexe

### Questionnaire : l'édition littéraire en Afrique francophone

Questionnaire rempli par :

Nom :

Fonction au sein de la maison d'édition :

### La maison d'édition

Nom :

Ville/Pays :

Statut juridique :

Date de création :

Est-ce une reprise ou une fusion de maisons d'édition existantes ?

Si oui, lesquelles ?

Nombre d'employés

- À plein temps :
- À temps partiel :
- Volontaires, stagiaires, étudiants, etc. :

Quelles sont les fonctions au sein de la maison (p.ex. 1 directeur général, 1 directeur financier, 2 secrétaires, etc.) ?

## Les publications littéraires

**Remarque : complétez pour les années 2008-2013.**

Publications littéraires en langues locales / régionales :

| 2008 | 2009 | 2010 | 2011 | 2012 | 2013 |
|---|---|---|---|---|---|
| | | | | | |

Publications littéraires en français:

| 2008 | 2009 | 2010 | 2011 | 2012 | 2013 |
|---|---|---|---|---|---|
| | | | | | |

Publications littéraires en d'autres langues (anglais, etc.) :

| 2008 | 2009 | 2010 | 2011 | 2012 | 2013 |
|---|---|---|---|---|---|
| | | | | | |

Publications littéraires bilingues :

| 2008 | 2009 | 2010 | 2011 | 2012 | 2013 |
|---|---|---|---|---|---|
| | | | | | |

Spécifiez les deux langues :

Total de publications littéraires de 2008 à 2013 inclus :

Nombre d'auteurs différents :

Quel est le pourcentage entre : - Romans/récits :

- Poésie :
- Théâtre :
- Littérature de jeunesse :
- Autres (précisez) :

Est-ce que la maison a d'autres publications ? Donnez le nombre total pour la période 2008-2013.

- scolaire et parascolaire :
- sciences humaines (philosophie, sociologie, religion, critique littéraire, etc.) :
- bandes dessinées :
- livres pour enfants :
- livres d'art :
- vie quotidienne (cuisine, jardinage, guides, etc.) :
- autres (précisez) :

## Tirage et diffusion

**Remarque : complétez pour les années 2008-2013 seulement et uniquement pour les publications littéraires.**

Quel est le tirage moyen pour la première édition ? exemplaires.

Quel pourcentage de publications littéraires a eu plusieurs tirages ?

Pour qu'un ouvrage littéraire devienne profitable, quelle est en moyenne le tirage minimum ?

Est-ce que les auteurs paient eux-mêmes pour les frais de publication ?

Si oui, donnez la somme (en euros) et à quoi cela correspond (par exemple 50% des frais pour le premier tirage) ?

Est-ce que les auteurs touchent des droits d'auteurs ? Donnez le pourcentage et à partir de combien d'exemplaires vendus.

Pourcentage d'ouvrages profitables :

Votre plus gros succès commercial :

- auteur :
- titre :
- année :
- nombre d'exemplaires vendus :

Y a-t-il des co-publications avec des maisons d'édition (donnez le total)

- nationales :
- africaines :
- du Nord :

Y a-t-il des republications d'ouvrages paru précédemment dans des maisons d'édition (donnez le total)
- nationales :
- africaines :
- du Nord :

Vos ouvrages sont-ils disponibles dans les librairies ?

- nationales :
- internationales (FNAC, etc.) :

Vos ouvrages sont-ils distribués à l'étranger ?

Si oui, par qui ?

Vos ouvrages sont-ils disponibles en ligne ? Donnez les sites (par exemple Amazon.fr, etc.)

## Les auteurs

Quel pourcentage d'auteurs vit :

- dans le pays de la maison d'édition :
- dans un pays limitrophe :
- dans un autre pays (y compris les écrivains émigrés) :

Quel est le pourcentage d'auteurs débutants (première publication commerciale) ?

Quel pourcentage de manuscrits reçus est accepté et publié ?

Parmi les auteurs ayant déjà publiés, quel est le pourcentage ayant publié précédemment (le total peut dépasser 100 %)

- dans votre maison d'édition :
- dans une maison d'édition de votre pays :
- dans une maison d'édition d'un pays limitrophe :
- dans une maison d'édition d'un pays du Nord :

## Présence virtuelle et publicité

La maison d'édition a-t-elle un site web ?

Adresse du site :

La maison a-t-elle son propre webmestre ?

Si la réponse est négative, qui s'occupe du site ?

- un membre du personnel
- un étudiant, un volontaire
- une entreprise tierce

Quelles informations sont présentes sur le site ?

| | | | | |
|---|---|---|---|---|
| - historique/présentation de la maison d'édition : | Oui | | Non | |
| - présentation de l'éditeur (de l'équipe) : | Oui | | Non | |
| - catalogue : | Oui | | Non | |
| - présentation des ouvrages (quatrièmes de couverture) : | Oui | | Non | |
| - informations pour auteurs/soumission de manuscrits : | Oui | | Non | |
| - revues de presse : | Oui | | Non | |
| - interviews avec auteurs, y compris clips vidéo : | Oui | | Non | |
| - autres : précisez | | | | |

Est-il possible de commander en ligne par votre site ?

Fréquence de la mise à jour du site :

## Évaluation

Pour cette section, soyez le plus explicite possible. Ajoutez des lignes si nécessaire.

Quels sont les points forts de la maison d'édition ?

Quels sont les défis ?

Quels sont les opportunités ? Comment voyez-vous la maison d'édition en 2020 ?

Je vous remercie de votre participation.

# L'édition en Afrique : entre gageure et sinécure. L'expérience de CLE

Marcelin Vounda Etoa (Université de Yaoundé I)

---

**Abstract**

*The circumstances of its creation and its historical evolution have made* Éditions CLE *an atypical publishing house which has survived many different challenges. But the long term sustainability and growth of* Éditions CLE, *as well as other African publishing houses, cannot be guaranteed without the establishment of national book policies throughout Africa. This is a condition for the creation of a truly indigenous book industry.*

**Keywords**: book; policy; national; publishing; industry

**Mots Clés** : livre ; politique ; national ; éditions ; industrie

Jacques Rial affirme à leur sujet que « fondées en 1963 par des organisations protestantes, les éditions CLE constituent sans doute l'expérience la plus originale dans le domaine de l'édition en Afrique francophone » (Rial 1971 :12). Le présent article a pour hypothèse que si cette spécificité explique, *a posteriori*, la longévité relative de cette entreprise, elle ne saurait en assurer la pérennité et le rayonnement à long terme sans la mise en œuvre de politiques nationales du livre par les pays d'Afrique noire francophone.

De façon générale, les maisons d'édition n'échappent pas aux modèles existants d'organisation des entreprises. Celles-ci peuvent donc être des entreprises individuelles, des sociétés de personnes, des sociétés anonymes à responsabilité limitée ou des sociétés de capitaux, encore appelées sociétés anonymes (Anonyme 1993). Dès sa création, CLE n'appartient cependant à aucun de ces types d'entreprises. Bien que son assemblée constitutive se soit tenue du 8 au 12 octobre 1962 et que ses activités aient été officiellement lancées le 1er janvier 1963, c'est le 11 avril 1964 que ses premiers statuts sont enregistrés. CLE y est présentée comme une association à but non lucratif et à caractère philanthropique. Cette maison fonctionnera néanmoins comme une société anonyme puisqu'elle dispose d'un conseil d'administration dont les membres sont des organismes (ABC, CETA, CEPCA, CPR)[1] et des associations religieuses d'une dizaine de pays[2] . L'apport en capital de ces membres est d'ordre moral, les actifs et les immobilisations des éditions CLE résultant de leur histoire qu'il est utile de rappeler. On présentera par la suite les spécificités de cette maison d'édition, les défis qu'elle a su relever et les axes principaux de l'*aggiornamento* qui lui permettront de s'adapter aux évolutions technologiques qui marquent le secteur moderne de l'édition.

## Modèle entrepreneurial et fondements historiques des éditions CLE

Il va sans dire qu'une maison d'édition est une entreprise commerciale par essence. L'édition comporte cependant des spécificités liées à la nature des produits qu'elle commercialise. Le livre est à la fois une marchandise et un produit culturel. Bien

---

[1] ABC : Alliance Biblique du Cameroun ; CETA : Conférence des Églises de toute l'Afrique ; CEPCA : Conseil des Églises Protestantes du Cameroun ; CPR : Conseil Protestant Rwandais.

[2] Les Églises dont les représentants siègent au conseil d'administration (assemblée générale) sont : l'Église protestante méthodiste du Bénin, l'Église méthodiste de Côte d'Ivoire, l'Église évangélique du Togo, l'Église du Christ au Congo (RDC), l'Église évangélique du Congo, l'Église presbytérienne camerounaise, l'Église évangélique du Cameroun, L'Église évangélique luthérienne au Cameroun.

économique et produit culturel, l'ambivalence du livre détermine conséquemment son inscription dans le circuit marchand et son insertion dans le champ des biens culturels. En raison de la spécificité de leurs produits, les entreprises éditoriales peuvent se répartir en quatre catégories. Lorsqu'elles sont des entreprises individuelles, elles se présentent sous la forme de petites structures dont la caractéristique principale est le nombre réduit du personnel et la concentration des fonctions et des tâches autour du propriétaire-gérant, homme à tout faire qui recourt à deux formes d'édition : l'autoédition et l'édition à compte d'auteur.

Les sociétés de personnes sont le pallier au-dessus des entreprises individuelles. Elles supposent la mise en commun des intérêts d'au moins deux associés dont l'un est le gérant. La prise de décision est collégiale et les comptes que le gérant doit rendre le sont à l'intérieur d'un cadre organisationnel minimal.

Lorsqu'une entreprise éditoriale est constituée en société à responsabilité limitée, son cadre organisationnel est plus formel et prend la forme d'un conseil d'administration dont les membres sont responsables de la gestion de la société. En tant qu'instance faîtière, le conseil d'administration précise les limites des responsabilités individuelles des responsables de l'entreprise, celles du directeur notamment.

La dernière forme que peut prendre une entreprise éditoriale est celle de sociétés de capitaux ou par actions, encore appelées sociétés anonymes. Elles sont gérées comme les sociétés anonymes à responsabilité limitée.

Le rendement net moyen recherché par les entreprises commerciales oscille entre 15 et 20%. Lorsqu'il s'agit d'entreprises éditoriales, ce taux plafonne généralement à 10%

pour les maisons les plus performantes, la moyenne se situant à 5%.

CLE échappe, dès sa création, à ces quatre modèles d'entreprises éditoriales. Le Centre de Littérature Évangélique est, en effet, une association à but non lucratif et à caractère philanthropique qui fonctionne cependant selon le modèle des sociétés de capitaux. À la différence des sociétés de capitaux toutefois, l'apport initial des membres de son assemblée générale – son conseil d'administration en fait – est symbolique tout l'actif de l'entreprise ayant été mobilisé dans le cadre d'un programme d'accompagnement évangélique par des œuvres de mission occidentales.

En 1926, il se tient en Belgique une grande conférence missionnaire sur l'Afrique. On y insiste sur la nécessité d'avoir, « à côté du travail fondamental de traduction de la Bible en langues africaines, plus d'attention [...] à la production de la littérature chrétienne » (Schaaf 2001 : 20). Cette préoccupation est matérialisée trois ans plus tard par la création en 1929 de l'*International Committee on Christian Literature for Africa* (ICCLA). Cette institution dédiée à la production et à la diffusion du livre en Afrique publie un bulletin d'information intitulé *Books for Africa* dès 1931. Sa dissolution en 1958 coïncide heureusement avec la tenue, à Ibadan au Nigeria, d'une rencontre de responsables d'Églises d'Afrique qui réfléchissent, entre autres sujets, à la littérature chrétienne aux prises avec les développements internationaux de l'Afrique. La réflexion entamée au Nigeria se poursuit trois ans plus tard à Kitwe en Rhodésie du Nord (l'actuel Zambie), précisément en juin 1961. Un missionnaire néerlandais, Ype Schaaf, qui est venu à Yaoundé pour s'occuper de la diffusion de la Bible mais qui se montre très intéressé par la question de la littérature chrétienne, y prend part. Il y présente un projet de création d'un centre de documentation, de production et de diffusion de la littérature chrétienne pour toute l'Afrique d'expression française[3]. Son projet est approuvé à l'unanimité et sa réalisation encouragée.

Ype Schaaf aura donc la responsabilité de concrétiser lui-même son projet. Mais, à l'origine, il s'agit de procéder exclusivement à la diffusion de la Bible et d'en vulgariser la lecture et l'étude par la publication de petits textes exégétiques.

Le budget prévisionnel originel du Centre de Littérature Évangélique prévoit 1 500 000 FF pour l'acquisition d'un immeuble, 450 000 FF de fonds de production littéraire et 225 000 FF de salaires pour le personnel et des frais de loyer non déterminés pour le personnel expatrié. Ce budget sera réalisé à la suite d'une grande campagne de mobilisation de fonds, notamment aux Pays-Bas et en Allemagne. Les actifs originels qui fondent le capital de CLE sont donc le fait des missions occidentales de France mais surtout de l'Allemagne et des Pays-Bas.

---

[3] Il y avait déjà une importante production de littérature chrétienne dans plusieurs pays anglophones d'Afrique. Le projet d'Ype Schaaf a donc pour ambition de couvrir l'ensemble de l'Afrique francophone. C'est ainsi que pas moins de douze institutions sont présentes au premier conseil d'administration de CLE qui se tient en 1963 à Yaoundé ; il s'agit notamment des Églises du Cameroun (Nord et Sud), des Églises des Républiques du Congo, de la Centrafrique, du Tchad et du Gabon, du Conseil protestant du Congo Kinshasa, de l'Église évangélique du Togo, des Églises du Dahomey et du Niger, du Comité de littérature de la Côte d'Ivoire, des Églises de la Haute Volta, du Mali, de la Guinée et du Sénégal, des Églises du Rwanda et du Burundi, des Sociétés bibliques de l'Afrique d'expression française, du Centre des techniques audiovisuelles de l'Église presbytérienne du Cameroun, de la Conférence des Églises de toute l'Afrique et de l'Église réformée des Pays-Bas.

Au moment où les éditions CLE sont portées sur les fonts baptismaux, seuls la Bible et les livres scolaires sont disponibles dans des papeteries qui importent également quelques livres destinés aux Européens. Les écrivains africains publiés dans l'Hexagone n'y sont pas diffusés. L'Église ayant enseigné aux gens à lire et à écrire, Ype Schaaf croyait qu'il était du devoir de la même Église de ne pas limiter cette compétence de lecture à la seule Bible, mais encore fallait-il trouver une lecture adaptée à leurs préoccupations et qui leur convienne. À défaut d'en trouver, le Centre de Littérature Évangélique devint une maison d'édition classique. Gérard Markhoff, l'un de ses premiers directeurs, en présente la ligne éditoriale originelle en déclarant :

> Nous cherchions une lecture adaptée à recommander et à diffuser, adaptée à la situation, à l'environnement, et aux références, et aux possibilités financières des lecteurs. Et comme il n'y avait pas grand-chose qui convenait, le Centre devint maison d'édition pour créer cette lecture. (Markhoff 2002)

## Ligne éditoriale et dynamique de croissance

À l'origine, CLE a donc la structure entrepreneuriale d'une société de capitaux. Mais l'investissement de départ qui fonde cette maison d'édition se fait à fonds perdus, dans un élan philanthropique. Pour garantir la bonne gestion de ce patrimoine, quoiqu'il s'agisse d'une association à but non lucratif, CLE va se doter d'un mode de gestion semblable à celui d'une société de capitaux.

Pendant les cinq premières années après sa création (1963-1968), l'accent, à CLE, est mis sur les publications théologiques. Durant cette période, l'association consolide ses fondations. Les donateurs missionnaires subviennent certes à tous les besoins mais se préoccupent concomitamment de son autonomie financière. En effet,

> Les donateurs allemands et hollandais avaient payé les bâtiments et les maisons pour l'équipe et les frais d'exploitation et avaient, avec d'autres organismes, financé le fonds d'édition, mais ils n'étaient pas prêts à soutenir les éditions CLE à bout de bras indéfiniment. (Schaaf 2001 : 98)

La nationalité des directeurs de CLE d'alors facilite la recherche des fonds pour l'édition d'autant qu'elle est, aux yeux des donateurs, un gage de bonne gestion. Le troisième directeur de CLE, Gérard Markhoff, qui a l'avantage d'être à la fois français et allemand, fait le choix, qui va s'avérer pertinent, de développer « une littérature générale qui offre le plaisir de la lecture aux Africains, à côté de la littérature chrétienne » (Markhof 2002). Il obtiendra alors, durant son mandat à la tête de CLE, de 1968 à 1978, d'importants fonds pour développer ce type de publications. Le tirage de la collection « Pour tous » atteint ainsi les 10.000 exemplaires par titre. C'est donc à EZE[4] et à Gérard Markoff que CLE doit l'extraordinaire rayonnement de la littérature générale qui fait converger vers cet éditeur, le premier de toute l'Afrique noire francophone, comme l'atteste Robert Cornevin, des manuscrits de tous horizons. La structure organisationnelle de CLE, dont les membres du conseil d'administration et de l'assemblée générale sont originaires de différents pays africains, permet à ses publications de faire tache d'huile sur l'ensemble de l'Afrique noire francophone et au-delà. L'intérêt des donateurs allemands se prolonge sous la forme de traductions. Les meilleurs auteurs de CLE sont ainsi traduits en allemand, en anglais, en néerlandais, et même en polonais pour quelques-uns. Plusieurs des œuvres parues aux éditions CLE entre 1968 et 1975 sont des succès de librairie ; quelques-unes sont couronnées du prix littéraire le plus prestigieux d'Afrique d'alors, le Grand prix littéraire de l'Afrique noire : *Le Fils*

---

[4] Département pour le développement de l'Église évangélique en Allemagne (*Evangelische Zentralstelle für Entwicklungshilfe*).

*d'Agatha Moudio* (1968), *La Palabre stérile* (1969), *Tribaliques* (1972), *La Marmite de Koka Mbala* (1967), *L'Homme-dieu de Bisso* (1975). De nombreuses œuvres lauréates du Prix du Concours théâtral radiophonique interafricain sont publiées par les éditions CLE.

Plusieurs des publications de CLE font l'objet de demandes de cession de droits par les plus grands éditeurs mondiaux qui s'intéressent à la littérature du continent noir. Des œuvres de CLE sont ainsi publiées par *Press Pocket* et dans la collection *African Writers Series* qui paraît à Londres. CLE acquiert en retour les droits de quelques-uns des meilleurs penseurs africains de l'époque. Paulin J. Hountondji, dont l'excellent essai *Sur la philosophie africaine* paraît initialement chez Maspero en 1976, est ainsi repris par CLE en 1980. *Philosophie et religions africaines* de John Mbiti est quant à lui publié en traduction française par les éditions CLE. Des textes de CLE sont également repris en édition spéciale dans le cadre du Club africain du livre, une espèce de « La Pléiade » africaine qui reprend en édition de luxe les meilleures œuvres de littérature noire.

À sa création, CLE offrait donc aux Africains non seulement une opportunité de publier sur le continent – l'alternative étant Paris – mais également la possibilité pour les jeunes auteurs de se faire accompagner dans leurs projets éditoriaux. Robert Cornevin souligne que cette maison d'édition sut mettre à contribution le savoir et l'expérience des enseignants de l'université camerounaise nouvellement créée pour corriger et parfois réécrire certains manuscrits de jeunes auteurs africains. En 1977, le catalogue de CLE signale 183 titres dont 123 sont des ouvrages de littérature générale et 60 seulement de littérature théologique ; 1 million de livres sont imprimés pour le compte de cet éditeur et 800 000 de ces livres sont dûment diffusés (Schaaf 2001 : 112).

Les auteurs de ces œuvres proviennent des quatre coins du monde.

Au Cameroun, dont la capitale Yaoundé a le privilège d'abriter le siège de CLE, le rayonnement de cette maison d'édition est plus qu'éclatant. En 1978, CLE reçoit le prix du Président de la République ; ce prix, conçu à l'origine pour récompenser des écrivains, est exceptionnellement décerné à cette maison d'édition au regard du rôle exceptionnel joué par CLE dans le cadre de la promotion de la culture et de la littérature nationale et africaine (*Ibid.* : 111). L'énoncé des motivations de l'attribution du prix du Président de la République du Cameroun à CLE en 1978 résume de façon précise le rôle joué par cette maison d'édition dans le cadre de la promotion de la littérature au Cameroun et au-delà :

> L'installation à Yaoundé des éditions CLE, peut-on y lire, a bouleversé une situation de dépendance intellectuelle, source d'aliénation à cause de la rareté des productions littéraires [...] En 15 ans les éditions CLE ont lancé 50 écrivains camerounais et publié 80 ouvrages signés par nos concitoyens, apportant ainsi une grande contribution à la promotion de la création littéraire nationale. En même temps, elles sont devenues un lieu de rencontre entre écrivains camerounais d'une part et entre écrivains camerounais et leurs confrères d'Afrique et du monde, d'autre part... Elles nous ont donc permis de participer au grand mouvement intellectuel qui emporte le monde moderne. (*Ibid.* : 112)

Au demeurant, « Les Églises ont [...] contribué à la naissance d'une nouvelle littérature sans avoir pu le prévoir ou même le vouloir » (*Ibid.* : 109). Épicentre de l'édition de l'Afrique noire d'expression française de cette époque-là, l'audience de CLE est renforcée par le nom prestigieux de certains de ses auteurs[5], et

[5] Julius Nyerere, alors président de la Tanzanie, y publie ses réflexions sur la culture et le développement ; la traduction française d'une des pièces les plus

surtout par la consécration à l'échelle africaine de plusieurs de ses romans et pièces de théâtre par des prix littéraires[6]. C'est de cette époque que datent les cessions de droits d'extraits des œuvres de CLE pour la production de manuels scolaires. À ce jour, il n'existe pratiquement pas un seul ouvrage d'enseignement du français de l'enseignement secondaire en Afrique noire francophone qui ne comporte des extraits d'ouvrages des éditions CLE. C'est aussi la période des traductions massives d'extraits ou de l'intégrale des meilleurs auteurs de CLE.

Les années 1990 sont caractérisées par une crise multiforme à la suite du vent d'Est qui traverse les pays du continent africain. La récession économique qui s'en suit coïncide avec une grave crise de croissance et de management des éditions CLE. De 1987 à 1991, trois directeurs intérimaires, dont le mandat dure à peine un an pour le premier et le troisième, et deux ans pour le deuxième[7], se succèdent à la tête de la maison. Ces problèmes managériaux entraînent une tension de trésorerie si forte que pendant deux ans, de 1990 à 1991, la maison qui ne publie aucun livre brade les importants stocks contenus dans son magasin et renonce à gérer sa propre librairie, ouverte au rez-de-chaussée de son immeuble siège, sur l'avenue Foch à Yaoundé. La faillite et le dépôt de bilan sont évités de justesse grâce au soutien de ses partenaires et donateurs historiques allemands et néerlandais.

La crise endiguée, les instances faîtières de CLE procèdent à un recentrage managérial ; les missions de la maison restent cependant les mêmes : faire entendre les voix des penseurs

---

célèbres de Wolé Soyinka y paraît sous le titre *Le Lion et la perle* ; Bernard Dadié et Jean Pliya entrent dans le catalogue de CLE.

[6] Prix du président de la République du Cameroun ; Prix Mottart de l'Académie française, Grand prix de l'Afrique noire.

[7] Il s'agit du Burkinabé Laurentin Some (1987-1988), du Néerlandais Hendrick J. Van Dijk (1988-1990) et du Camerounais Daniel Ako'o (1990-1991)

d'Afrique et révéler au monde entier le talent et le génie de ses créateurs, promouvoir une pensée africaniste dans une perspective holistique, faire de la culture le socle et le catalyseur du développement du continent. L'abandon des activités de la librairie est concomitant à la réduction des activités de diffusion.

Dorénavant, CLE se consacrera presque exclusivement aux travaux d'édition. L'édition et la coédition des ouvrages et des manuels scolaires sont ainsi les axes structurants de l'action de la nouvelle équipe managériale qu'anime le Togolais Prosper Deh Comlan, élu directeur en 1991. Sur le continent africain, il n'y a pas d'entreprise d'édition viable qui n'intègre pas le livre scolaire dans ses stratégies de croissance. Le livre scolaire représente en effet plus de 90% du chiffre d'affaires du livre consommé sur le continent. CLE l'a compris et développe avec succès un ensemble de collections de livres scolaires. Le plus abouti de ces projets est celui de la coédition avec EDICEF, du groupe Hachette, d'une série d'ouvrages en usage dans les écoles camerounaises. Il s'agit des ouvrages de la collection « Les Champions », qui va devenir par la suite « Les Nouveaux Champions ».

À partir de cette collection, l'accent est mis sur la recherche de moyens d'autofinancement. La quote-part que CLE reçoit de cette coédition et des subventions diverses que le successeur de Comlan Prosper Deh, Tharcisse Gatwa, obtient de certains partenaires des éditions CLE permettent de développer un autre axe de la politique de recherche de l'autonomie financière de la maison : l'investissement dans l'immobilier. Depuis les années 2000, ces deux axes sont les piliers qui soutiennent la politique managériale et éditoriale de CLE.

L'exploitation du tiers des six titres qu'il coédite avec le groupe Hachette et pour lesquels le Centre de Littérature Évangélique ne perçoit que 18% du total des bénéfices nets a permis à CLE d'engranger chaque année, depuis 1999, la somme de 38 millions de francs CFA (58 000 euros).

En extrapolant ce chiffre sur l'offre générale des livres prescrits par les ministères de l'enseignement primaire et secondaire, c'est en dizaines de milliards qu'il faudrait chiffrer les bénéfices nets réalisés par les grands groupes internationaux sur les marchés du livre scolaire en Afrique francophone.

De tels chiffres, s'ils étaient réalisés par des entreprises éditoriales à capitaux majoritairement africains, permettraient à coup sûr de dynamiser le secteur et de créer une vraie industrie du livre en Afrique. L'éducation procédant des pouvoirs régaliens des États et le livre scolaire en étant la clé de voûte, il ne serait pas utopique de voir les États africains y mettre en œuvre des politiques nationales du livre.

## L'incontournable question des politiques nationales du livre

Alvaro Garzon déclare que « la formulation de la politique est, par définition, réservée aux organes suprêmes de décision culturelle et économique de l'État, agissant en consultation avec les responsables de l'activité d'édition » (Garzon 1997 : 29)
Sa finalité est de (Janssens *et al* 1997 : 40-41) :

- créer un environnement fiscal, douanier et juridique favorable à l'existence d'une édition locale ;
- garantir des marchés aux éditeurs locaux (politique de quotas, de coédition, etc.) ;
- injecter des moyens financiers directs ou sous la forme de subventions ou de détaxation internes à différents niveaux de la chaîne du livre ;
- assurer la formation aux métiers de l'édition ;
- mettre sur pied des structures et organiser de façon pérenne des campagnes d'incitation à la lecture ;

- créer des facilités d'accès au capital risque auprès des banques ;
- harmoniser les programmes d'enseignement ;
- conclure des accords et susciter la révision de certaines procédures d'appel d'offres internationales.

Les enjeux du livre scolaire en Afrique francophone sont d'une importance capitale pour tout le secteur. Au Cameroun, par exemple, le marché du livre scolaire est constitué d'environ dix millions de consommateurs. Par son caractère prescrit et au regard de son impact sur les résultats de fin d'année, ce livre fait des parents et des élèves des consommateurs captifs. En considérant que le quart de ce marché investit vingt mille francs CFA en achat de livres scolaires, comme l'a révélé une récente étude sur la consommation des ménages, c'est la somme de cinquante milliards de francs CFA, soit cent millions de dollars US qui constituerait le chiffre de ce marché. Des parts de ce marché, garanties aux éditeurs nationaux par une politique du livre bien pensée, leur permettraient non seulement d'avoir des fonds à réinvestir dans la production de la littérature générale, mais aussi de professionnaliser le secteur et de sortir définitivement de la précarité des éditeurs endogènes qu'un environnement socioculturel et économique ne cesse d'accentuer. Longtemps avant la crise des années 90 que traverse CLE, le paysage éditorial africain s'était déjà profondément transformé. Le gigantesque projet des Nouvelles Éditions Africaines (NEA), dont le nom traduit l'ambition d'un *aggiornamento* des pratiques éditoriales en vigueur sur le continent, est lancé en 1971. Les NEA bénéficient du soutien et de la sollicitude du poète-président sénégalais, Léopold Sédar Senghor. Les démembrements des NEA au Togo, au Sénégal et en Côte d'Ivoire découvrent et promeuvent des talents locaux. Cette tendance à la nationalisation de l'édition va s'accélérer dans les années 2000, grâce aux progrès de la technologie dans le secteur de l'édition. Sûrement aussi parce que, comme le relève Abul Hassan :

> Les livres, en particulier les livres autochtones, exercent une grande influence sur tous les aspects du développement d'une nation, bien que leur production n'ait qu'une faible incidence financière. La promotion du livre local mérite un rang de priorité élevé dans tous les plans et programmes de développement national. (Hassan 1979 : 11)

Mais le « libre » accès à l'édition ne va pas sans causer des problèmes qui mettent en péril la survie de cette activité sur le continent. L'abaissement du niveau éditorial des textes qui paraissent dorénavant est flagrant. Tout ou presque peut désormais faire l'objet d'une publication. Les plus pressés des « auteurs » vont même directement chez les imprimeurs, parfois sans s'être relus ni s'être faits relire. L'autoédition prend ainsi le pas sur l'édition professionnelle. De nombreux jeunes auteurs africains n'ont pas d'autre choix que de payer pour se voir publier et, par la suite, de se faire colporteurs et vendeurs de leurs propres livres. Tous les efforts d'autonomie financière de CLE visent à renverser cette tendance par la prise en charge totale des frais de production, de promotion, de diffusion et de commercialisation de ses auteurs. Ce combat ne pourrait être gagné en Afrique ni par CLE ni par aucun autre éditeur sans que ceux-ci parviennent à obtenir des parts substantielles de marchés du livre scolaire. Mais éditer des livres scolaires ne signifierait rien pour un éditeur africain si rien n'était fait pour contrecarrer les contrefacteurs qui compromettent notoirement les bénéfices qui pourraient être faits par les éditeurs.

En attendant d'avoir une maîtrise endogène des compétences liées à l'édition électronique, CLE est sous contrat, depuis 2012, avec les nouvelles éditions numériques africaines que dirige le canadien André Ledoux à Dakar. À ce jour, une dizaine de romans et d'essais de CLE peuvent être lus sur des tablettes ou sur des smartphones.

Pionnier de l'édition en Afrique noire francophone, CLE s'efforce donc de continuer à faire la course en tête. Pour avoir publié des auteurs de tous horizons du temps où elle était seule, pour les avoir tous gardés dans son catalogue et pour avoir mis sur pied une politique de réédition des meilleurs de ces auteurs qui sont devenus des classiques, CLE peut se prévaloir d'être la seule vraie maison d'édition panafricaine. Mais ses efforts resteront précaires si une vraie politique nationale du livre n'est pas décidée par l'État et mise en œuvre de façon conséquente par les agents publics. En 2007, CLE a été brutalement assujetti à l'impôt sur les sociétés et astreint au payement de près de trente millions de francs aux impôts du Cameroun. Même ce principal payé, des pénalités ne lui ont pas été épargnées. Malgré l'ancienneté de son implantation, malgré le motif de fierté qu'il peut représenter pour le Cameroun, le pays de son implantation (assurément plusieurs des pays membres de l'assemblée générale de CLE seraient prêts à en abriter le siège), aucun état de grâce ne lui est accordé. Ces trois dernières années, CLE a été scellé au moins quatre fois, sous prétexte de n'avoir pas honoré des échéances de payement d'une dette fiscale qui, depuis 2007, a été toujours contestée et dont la contestation a été portée jusqu'à la chambre administrative de la Cour suprême, restée étonnamment muette. Le symbole le plus éloquent de l'hypothèque qui pèse sur CLE comme une épée de Damoclès, ce sont les scellés posés devant ses bureaux le vendredi 7 février 2014, à une semaine jour pour jour de la commémoration de son cinquantenaire.

Mais les périls encourus par CLE sont également liés à sa nature. CLE n'étant ni une entreprise individuelle, ni une société de personnes, encore moins une société anonyme à responsabilité limitée ou une société de capitaux, ses propriétaires actuels n'en sont en fait que les héritiers. À ce titre, ils sont exposés au double péril de la déshérence ou de l'accaparement par quelques-uns des membres (légataires) d'un héritage qui appartient en fait à sept pays africains et à trois institutions dont deux sont camerounaises et la troisième, panafricaine.

Le péril de la déshérence est lié à la distance des membres de l'assemblée générale, instance décisionnelle de cette association par rapport au siège où se tiennent ses rencontres internationales. En l'état actuel de ses statuts, les modalités d'implication et les mécanismes d'appropriation de cette association par tous ses membres restent à déterminer et à codifier avec clarté. À contrario du risque de déshérence pourrait se développer, de la part des membres représentant le pays qui abrite le siège de CLE, des logiques d'accaparement, soit par l'un des membres locaux de cette association, soit, dans un élan de phagocytose, de la part de tous ses membres.

Seuls des textes organiques clairs, garantissant une gestion équitable de cette maison d'édition par l'ensemble de ses partenaires, pourraient conjurer les périls auxquels CLE est exposé. Les atouts du premier éditeur de l'Afrique noire francophone que sont : son image de marque, la richesse de son fonds littéraire et théologique, ses immobilisations, son réseau arachnéen de diffusion et sa longue expérience pourraient alors servir d'adjuvant pour relever les nouveaux défis de l'édition en Afrique.

## Conclusion

La spécificité du Centre de Littérature Évangélique est certes un atout, mais elle n'est pas la seule explication de la relative longévité et du rayonnement de cette maison d'édition fondée en 1963 et dont Robert Cornevin dit qu'elle fut la première maison d'édition professionnelle de toute l'Afrique noire d'expression française. Les entreprises d'édition en Afrique sont en effet exposées aux mêmes périls et soumises à la même précarité. Leur survie est une gageure permanente. N'eussent été l'apport initial et la sollicitude continuelle de ses partenaires historiques des Pays-Bas, de l'Allemagne jusque dans les années 2008, CLE n'aurait sûrement pas échappé au destin qui a été celui des NEA par exemple. Seules des parts de marché garanties par des politiques nationales du livre permettraient aux éditeurs africains d'être à l'abri de lendemains incertains sur le plan économique et pourraient assurer leur pérennité. Mais pour leur éviter de tomber dans le travers inverse de la sinécure, du fait de positions dominantes qui leur seraient concédées sur le marché par des politiques qui leur seraient acquises, ces éditeurs devraient être astreints à réinvestir une partie des bénéfices que leur garantirait le marché du livre scolaire, dans la production et la promotion de la littérature générale. Ces entreprises contribueraient ainsi à la mise en place d'une industrie du livre dans leurs pays et, par un maillage arachnéen, à la structuration du champ éditorial africain.

## Ouvrages cités


2002. *Mission : Mensuel protestant de relations internationales*, 124.

Anonyme. 1993. *Profession : éditeur, édition et gestion*. Québec/Paris : Hurtubise/UNESCO.

Garzon, Alvaro. 1997. *La Politique nationale du livre. Un guide pour le travail de terrain*. Paris : UNESCO.

Hassan, Abul. 1979. *Conseils nationaux de promotion du livre*. Paris : UNESCO.

Janssens, Jean-Claude *et al*. 1997. *L'Édition scolaire dans les pays du Sud. Enjeux et perspectives*. Paris : ACCT.

Rial, Jacques. 1971. *Introduction à la littérature camerounaise d'expression française*. Berne : Publications de la Commission nationale suisse pour l'UNESCO.

Schaaf, Ype. 2001. *Bible, Mission et littérature. L'Afrique digère à sa façon : l'histoire et la place actuelle des éditions CLE et de l'Alliance Biblique du Cameroun dans la communication par la parole imprimée en Afrique d'expression française*. Yaoundé : CLE.

# Écrire et publier en Afrique : une véritable gageure. Une étude de la production littéraire sur le territoire togolais

Martin Dossou Gbenouga (Université de Lomé)

**Abstract**

*Publishing is an activity that is relatively new in Togo. However, since 1980, publishing activities have become quite common in the country and many books have been published by local editors. Unfortunately the books published in the country are often not known to the public because critics and books reviewers fail to adequately advertise the books. There is furthermore a lack of "legitimating structures" which hampers the growth of the Togolese publishing industry. For example, the state does not offer facilities that can help authors by promoting publishing as a commercial activity. Not surprisingly, very few writers in Togo have earned the fame they deserve.*

**Keywords**: publishing; advertising; criticism; distribution; lack of support

**Mots Clés** : édition ; publicité ; critique ; diffusion ; absence de soutien

La littérature togolaise de langue française, depuis la publication de *L'Esclave* de Félix Couchoro en 1929 et du *Fils du fétiche* de David Ananou en 1955, s'est fait un nom grâce à des auteurs comme Kossi Efoui, Sami Tchak, Edem Awumey, Kangni Alem ou encore Théo Ananissoh et Senouvo Agbota Zinsou qui ont, presque tous, reçu de nombreux prix littéraires dont le Grand prix littéraire d'Afrique noire francophone. Ces prix, qui ont consacré et imposé ces auteurs, ont provoqué un fort intérêt pour leurs œuvres. Contrairement à ces auteurs vers lesquels tout le monde accourt (nous pensons à la réception à la fois journalistique, universitaire et autres), des dizaines d'individus mettent sur le marché togolais, chaque année, à travers des maisons d'édition locales, des ouvrages qui sont eux méconnus, y compris du public universitaire censé assurer, d'une certaine manière, une reconnaissance à ces textes. Lorsqu'on parcourt les activités organisées autour de cette production « interne », on a l'impression que l'écrivain « digne » d'être étudié est celui qui est importé par les grandes maisons d'édition occidentales.

**Bref aperçu de l'émergence de cette littérature**

Le Togo a connu une entrée assez tardive dans la littérature écrite en langue française. S'il est vrai que sous le mandat colonial allemand il s'est développé une grande littérature en langue éwé, il faut attendre les années 1980 pour noter une éclosion de la littérature dans ce pays. Certes, en 1929, Félix Couchoro publie son premier roman *L'Esclave*. Mais il signe ce roman au moment où il avait encore la citoyenneté dahoméenne. C'est en 1955 que le second auteur et véritable premier romancier togolais, David Ananou, se fait connaître du public par son unique roman *Le Fils du fétiche*. De très timides tentatives de création ont eu lieu après. On pourra parler d'Akakpo Typamm avec *Poèmes et contes d'Afrique* (1958). En 1966, Francis Sydol publie son roman *Qui est mon prochain* ? Bien d'autres se sont fait connaître avec leurs œuvres. Il faut faire remarquer que ces premiers ont pu exister grâce à des maisons d'édition françaises. Aucun de ces textes n'a été publié ailleurs en dehors de la France. Il convient de signaler qu'à cette période l'activité éditoriale était presque inexistante au Togo. Les auteurs qui s'essayaient à l'écriture étaient obligés, souvent sur conseils des inspecteurs d'académie de l'époque, de recourir à des maisons d'édition en France. Ces éditions étaient, pour la plupart, très peu connues du monde littéraire.

Mais les années 1980 et 1990 vont constituer les décennies au cours desquelles plusieurs auteurs ont réalisé une intrusion fracassante sur le marché du livre. Cette période fut celle de nouveaux écrivains comme J-B. Adovi Adotévi, Akakpo-Ahianyo, Yves-Emmanuel Dogbé, Amélavi Améla, Gnoussira Analla, Pyabèlo Chaold, Tchotcho Ekué, Gad Ami, Kossi Toussaint Guénou, Kangni Djagoé Kangni, Agbota Zinsou, etc. Ces nouveaux écrivains n'ont eu pour possibilités de publication que les Éditions Haho et les Nouvelles Éditions Africaines (NEA). Ce marché très restreint ne permettait pas une diversification de publication. Les éditions Akpagnon créées en 1978 par Yves-Emmanuel Dogbé n'avaient réussi à éditer, pendant longtemps, que les œuvres de l'auteur lui-même. Les autres allaient chercher leurs éditeurs ailleurs en Afrique, particulièrement à Yaoundé où les éditions CLE avaient été déterminantes dans l'émergence de certains auteurs togolais.

À ceux-là, il faut ajouter les écrivains des années de contestation politique et les émules de Sony Labou Tansi. Ce sont pour la plupart des jeunes étudiants qui avaient découvert au cours des années 1980 les textes du Congolais. Les richesses de ces textes, leur ton et surtout la grande inventivité linguistique et stylistique qui les marquent, ont eu des influences indéniables sur ces jeunes entrant dans la littérature togolaise. La décennie 1990 a produit alors de jeunes auteurs comme Kangni Alemdjrodo, Kossi Efoui, Sélom Gbanou, Sadamba Tchakoura, Théo Ananissoh, J-J. Sewanou Dabla. Plusieurs autres leur ont emboîté le pas et ont aussi contribué énormément à l'accroissement de la production littéraire togolaise. C'est surtout sur la scène internationale du livre qu'ils se sont imposés et ont démontré leurs talents. Il y eut d'abord le Concours théâtral international de Radio France Internationale qui joua un rôle considérable dans la production littéraire togolaise. C'est effectivement d'abord le théâtre et la prose qui ont été les genres les plus pratiqués par ces nouveaux écrivains. Mais on pourra retenir en poésie Gnoussira Analla, Nayé Théophile Inawissi, Hilla Laobé Améla, Toussaint Guénou et André Kuévidjin. Au niveau de la dramaturgie, on mentionnera volontiers Sénouvo Agbota Zinsou, Sélom Gbanou, Kossi Efoui, Kangni Alem, Kandjangabalo Sékou, Bodi Banche Bodelin qui ont opté pour un nouveau théâtre favorisé par l'influence de l'esthétique du dramaturge congolais Sony Labou Tansi. La littérature d'enfance et de jeunesse au Togo, d'abord orale, a fait son apparition dans les classes des écoles primaires. C'est dans ce contexte que vont émerger les premiers écrivains de la littérature pour enfants comme Anne Dogbé et Bernadette Pyabèlo Chaold qui seront suivies par Ernestine Akuavi Gbonfou, Yaovi Marcel Adoko, Dédé d'Almeida, Koffivi Assem, Gnimdewa Atakpama, Aballo Komlan Folly. Malheureusement, c'est à l'étranger qu'elle reçoit plus d'écho, plus de considération et rivalise avec d'autres.

**La production et sa promotion**

Publier au Togo relève d'un véritable parcours de combattant. Comme nous l'avons indiqué ci-dessus, les maisons d'édition pouvant soutenir l'activité de création littéraire étaient inexistantes jusqu'en 1978, année au cours de laquelle le Togo a vu naître les éditions Akpagnon et a intégré les NEA. En effet, au cours de la colonisation allemande et française, aucun effort n'a été fait pour doter ce pays d'une maison d'édition capable de faire éclore les jeunes talents littéraires. Toutefois, il faut noter qu'en 1912, le bureau de l'École professionnelle (de la mission catholique installée au Togo) faisait figure de maison d'édition[1]. L'édition n'a pas été non plus une activité dynamique après l'accession du Togo à la souveraineté internationale. En 1962, la

[1] Issue de l'initiative religieuse, la majeure partie de sa production était consacrée aux ouvrages religieux, aux livres scolaires, aux manuels didactiques, aux journaux à vocation religieuse. Elle a existé jusqu'en 1990.

Société Nationale des Éditions du Togo (EDITOGO) voit le jour afin de combler ce vide. L'une de ses missions était d'assurer l'édition. Elle se révèle plus une imprimerie qu'une maison d'édition. Ce n'est qu'en 1978, avec l'adhésion aux NEA, que le Togo a eu une première vraie maison d'édition.

Aujourd'hui on dénombre au Togo au moins une dizaine de maisons d'édition qui assurent la production des œuvres littéraires. Les NEA qui étaient portées à bout de bras par le Président Senghor et les éditions Hachette de France ont été dissoutes en 1988[2]. Cette dissolution a permis de créer les NEI (Nouvelles Éditions Ivoiriennes) et les NEAS (Nouvelles Éditions Africaines du Sénégal). Le Togo n'a pas suivi les autres pays en mettant sur pied une structure capable de poursuivre les activités des NEA. Au contraire, tous les programmes avaient été arrêtés et les auteurs ayant présenté des textes n'avaient bénéficié d'aucune assistance.

Les autres maisons comme les Éditions Haho créées en juillet 1982 par Jan Kees Van de Werk (journaliste et écrivain hollandais) et Victor Aladji (écrivain et universitaire togolais), les Éditions Akpagnon (fondées dès 1978 à Paris, elles furent rapatriées dans les années 1990 au Togo), le Cercle d'Édition et de Promotion des Arts (CEPA, créé le 19 juin 1996, avec pour objectif la promotion des arts et des lettres au Togo), les Éditions de la Rose Bleue (nées en novembre 2002 sur l'initiative de Ephrem Seth Dorkenoo), les Éditions Graines de Pensées (créées en janvier 2005 par Tchotcho Christiane Ekué et Yamîn Issaka-Coubageat), les Nouvelles Éditions Togolaises (NETO) (créées le 1er août 2005 avec comme directeur Christian K. Adika Wudoe),

[2] Après cette malheureuse expérience la succursale ivoirienne est devenue les Nouvelles Editions Ivoiriennes (NEI). Au Togo, personne ne s'était ému de la disparition des NEA. Au contraire, on les a accompagnées dans leur descente en enfer.

les Éditions Saint Augustin d'Afrique (elles voient le jour en 2000 mais ce n'est qu'en 2006 qu'elles ont véritablement commencé leurs activités ; elles ont comme directrice la Sœur Têvi-Bénissan), sont pour la plupart en léthargie ou connaissent des difficultés financières majeures. On pourra ajouter quelques timides et non concluantes expériences faites dans le domaine de l'édition par l'Univers Représentation Édition Diffusion (URED), les Éditions l'ASER, les Éditions l'Héritage de l'imprimerie La Semeuse-SIPAT, etc. La grande majorité de ces maisons d'édition n'a pas de réelle politique de promotion et de diffusion. Celles qui fonctionnent encore choisissent de publier les œuvres à compte d'auteur ou s'appuient, dans de rares cas, sur des subventions octroyées par des chancelleries étrangères pour la publication de quelques textes. La politique globale des maisons d'édition est d'amener les auteurs eux-mêmes à financer la production des textes. En dehors de la phase éditoriale et des travaux d'imprimerie, l'auteur ne bénéficie d'aucun conseil et n'est pas accompagné dans la mise sur le marché des produits de la création littéraire ou livresque de façon générale. Bien plus, aucune régie n'existe à l'heure actuelle pour assurer la distribution des œuvres. La méthode choisie par les écrivains réside dans le colportage et le « démarchage » des chefs d'établissement en vue de mise à disposition des élèves et des étudiants des œuvres parues. Cette faiblesse liée à la création et à la distribution fait que le territoire national n'est pas couvert. Lomé, la capitale, se révèle être le seul centre d'animation culturelle où on peut remarquer une timide activité autour des livres.

Par ailleurs, il se développe davantage une activité illégale de reproduction des textes. Le marché togolais est inondé d'exemplaires d'œuvres reproduites, multipliées et distribuées à des prix très concurrentiels. Si l'on sait que les prix pratiqués par les maisons d'édition tournent en moyenne autour de 4 000 francs

CFA (soit environ 6 euros), on peut se dire que les 1 500 francs CFA (2,3 euros) du marché parallèle représentent une source indéniable d'appauvrissement et de destruction de toute activité commerciale en matière du livre. Or, la fabrication des œuvres oblige les auteurs à engager des fortunes colossales. Le prix de production proposé par les maisons d'édition varie entre 950 000 et 1 500 000 francs CFA (soit 1 450 à 2 300 euros) pour un tirage moyen de 250 exemplaires. Dans un pays où le salaire minimum est de 31 000 francs CFA (47 euros), on comprend que beaucoup de Togolais ayant des tapuscrits dans leurs tiroirs n'osent pas s'engager dans la dynamique de publication.

Au Togo, l'édition n'a jamais été encouragée ni encadrée par les pouvoirs publics. C'est seulement depuis 2004 que la TVA a été imposée à l'industrie du livre au Togo. N'ayant pas ratifié jusqu'en 2007 les Accords de Florence et son protocole additionnel de Naïrobi (Pinhas 2005 : 123), le Togo ne s'est jamais doté de structure véritable d'encadrement de la production et de la promotion des livres. Le Bureau Togolais des Droits d'auteurs (BUTODRA) n'a jamais eu pour véritable souci la protection de la création livresque ou littéraire. Il est très dynamique dans la répression de la contrefaction des œuvres musicales, mais très timoré quand il s'agit de protéger les intérêts des écrivains en évitant que le marché du livre devienne le lieu d'enrichissement d'individus qui pillent les œuvres au détriment des auteurs. Les textes reproduits circulent dans la grande majorité des bars, des lieux de distraction sans que cela n'émeuve quiconque. Le cas le plus frappant actuellement est celui de *La Dissertation littéraire* (2002) de Sélom K. Gbanou. Ce document didactique est mis sur le marché dans une version très pâle alors que l'auteur est en procès avec l'éditeur qui ne lui aurait pas versé ses droits.

Pourtant ce n'est pas l'arsenal juridique qui fait défaut. Malgré la non ratification des Accords de Florence, le Togo s'est doté de textes pouvant protéger les œuvres de propriété intellectuelle. *La loi n° 91-12 du 10 juin 1991 portant protection du droit d'auteur, du folklore et des droits voisins* prévoit des conditions dans lesquelles les œuvres comme les livres pouvaient être exploitées. Mieux cette loi n'accorde même pas aux individus une liberté « pleine » d'exploitation des œuvres tombées dans le domaine public. Elle dispose que :

> Le droit d'exploitation des œuvres tombées dans le domaine public est payant. Il est administré par le bureau togolais du Droit d'auteur. Le taux de la redevance est équivalent à la moitié de celui habituellement appliqué pour les œuvres de même catégorie pendant la période protégée. Les produits de la redevance ainsi perçue sont consacrés à des fins culturelles et sociales en faveur des auteurs togolais. (Pinhas 2005 : 118)

Cette précaution prise n'a jamais permis de protéger les droits des auteurs, de réprimer la reproduction illégale des œuvres. Pire, les auteurs de falsification et de contrefaction des œuvres livresques courent les rues et rien n'est fait pour démanteler le ou les réseau(x). Une concurrence déloyale s'installe et grève alors les intérêts des créateurs. Ceci explique que les auteurs locaux ne recouvrent jamais les frais engagés pour les œuvres. Or, nous avons dit plus haut que les éditeurs « se débrouillent » pour faire paraître les œuvres sans aucune subvention de l'État. Aucune fondation non plus n'intervient dans le processus de production des textes. Dans ces conditions, les auteurs qui produisent localement sont obligés de s'endetter, de gager leur patrimoine, de trimer des années durant avant de mettre leurs textes sur le marché. Cette activité apparaît alors comme un défi à relever par les auteurs. Ce qui fait que la production et la consommation du livre par le public, déjà appauvri par le faible pouvoir d'achat, devient un rêve.

Une autre réalité qui traduit le caractère presque solitaire de l'auteur au Togo est la reconnaissance attendue de la part de l'État, censé assurer la promotion de la culture nationale. La mise en place de dispositifs législatifs a commencé timidement il y a quatre ans, avec le passage à l'Assemblée du traité sur les Accords de Florence. Mais le texte d'application de cette loi tarde à être pris. De même, l'accompagnement de l'activité culturelle, par conséquent de la production littéraire, ne bénéficie d'aucune aide de l'État togolais. Cette absence se lit dans l'inexistence de structures et d'action de reconnaissance de la place et du travail accompli par les auteurs dans le cadre de l'expression de la culture et de l'identité nationales. En matière de création littéraire, il y a une grande attente et une espèce de désespérance de la part des auteurs. Tout se passe comme si la chose culturelle est une préoccupation assez négligeable chez les responsables politiques. Depuis les indépendances, le Togo n'a jamais eu à affirmer sa souveraineté dans la reconnaissance du travail fait par les auteurs togolais. Le désenchantement se révèle assez intense car chaque auteur doit se battre seul pour fait paraître son texte et le diffuser à ses frais à travers le pays. Bien plus surprenant, dans cette politique du « vide », le Togo a dû attendre 1979 pour instituer son premier prix littéraire. Le prix Eyadéma fut ainsi créé. Ce prix avait pour objectif d'une part de susciter la création des œuvres littéraires, d'encourager les meilleures œuvres et d'autre part de récompenser les meilleurs auteurs[3]. L'unique édition a permis de consacrer *Opération marigot* de Koffi Gomez (1982) et *Aube nouvelle* de Kossi Agokla (1982). Il aurait dû aussi être le signe d'un encouragement pour la détection de jeunes talents, de jeunes créateurs. Le prix est mort un an après et depuis 1980 aucune action d'envergure n'est engagée par les différents responsables politiques en charge de la culture pour

[3] Article 2 de l'arrêté n° 8/MJSC/CAB portant institution d'un prix littéraire au Togo.

promouvoir le livre. Cette absence de l'État togolais dans le domaine de la légitimation du travail des écrivains est suppléée une fois encore par une implication des pays étrangers dans ce domaine. Le prix « France-Togo », créé par l'Association France-Togo dans le cadre de ses actions de soutien à la francophonie, a permis de favoriser la découverte de jeunes « espoirs » de nationalité togolaise et employant la langue française comme langue de création. De 1985 à 2008, ce prix a pu faire connaître près d'une quinzaine de nouveaux talents. Comme on le voit, le vide est suppléé par l'ex-puissance coloniale qui, à travers d'autres prix, des ateliers d'écriture, des voyages d'études, encadre et inscrit les écrivains togolais dans une dynamique d'écriture. Ce rôle joué par la France a été assez bénéfique :

> Dans le domaine de la nouvelle, dans les décennies 1980 et 1990, avec le « Concours de la meilleure nouvelle de la langue française » organisé par Radio France Internationale et l'Agence de Coopération Culturelle et Technique en association avec les radiodiffusions nationales, le Togo a vu quelques nouvelles primées. Parmi celles-ci on peut retenir *L'Ami de celui qui vient après le directeur* (1979) et *Mon ami* (1987) de Sénouvo Agbota Zinsou, *Ami* (1985) de Sanvee Mensan ; *Le Gourdin de la haine* (1984), *Tunnel* et *Dollim* (1985) de Claude Djondo. Puis suivront *Leur figure-là...* (1985) et *Avec Bleu plein la tête* (1990) de Towaly[4], *Destins enchaînés* (1988) de Kangni Djagoé Kangni, *Viols en série* (1989) de Fanny O. Comla, *Les vautours et autres nouvelles* (1990) de Kwassivi Sénah, *Indépendance cha-cha sur fond de blues* (1990) et *Les coupons de Magali* (1992) de Kossi Efoui.
> Dans le domaine du théâtre, le Togo s'est imposé sur la scène internationale, après Senouvo A. Zinsou, avec de jeunes auteurs comme Kossi Efoui (*Carrefour* et *Récupérations*), Kangni Alemdjrodo (*Chemins de croix*), Bodi B. Bodelin et bien d'autres. Ce prix a été une étape déterminante dans la reconnaissance internationale de la dramaturgie togolaise. Et aujourd'hui on pourra mentionner le travail remarquable fait par Frédéric Gakpara, Kantchébé, Rodrigue Norman, etc. Mais c'est beaucoup plus avec la prose que le Togo a

[4] Towaly est le pseudonyme de Jean-Jacques Sewanou Dabla.

> fait une entrée fulgurante sur la scène de la littérature africaine. Le Grand prix d'Afrique noire francophone a conféré une grande notoriété à des auteurs comme Kangni Alem, Sami Tchak, Kossi Efoui, Edem Awumey. (Gbénouga 2010 : 100-101)

Cette initiative a pour conséquence immédiate d'assurer une édition, une diffusion et une promotion des textes primés dans de nombreux pays. L'ouverture des frontières nationales grâce aux entreprises d'édition beaucoup plus dynamiques confère une certaine notoriété aux auteurs dont les œuvres sont jugées dignes par les instances de consécration extérieures. Néanmoins, l'aura ainsi acquis par ces auteurs les isole du public togolais, car les prix des œuvres primées à l'extérieur sont très élevés ; et ces auteurs apparaissent totalement inconnus du lectorat togolais. Pour sortir de cette indolence de timides initiatives sectaires sont prises par Ephrem Dorkenoo avec le prix de la Rose Bleue en 2004[5]. Malheureusement la mort de l'initiateur a mis fin à ce concours.

**De la promotion du livre par la critique**

La production livresque et littéraire se développe de façon considérable au Togo. La forte éclosion des maisons d'édition assure aujourd'hui une grande activité livresque dans ce pays. D'après le recensement de la production livresque en Afrique noire d'Afrilivres cité par Luc Pinhas (2005 : 76), le Togo avec 146 titres est classé derrière la Côte d'Ivoire (447 titres), le

[5] Il a été aussi créé en 2006 un prix de l'indépendance qui n'a connu jusque-là qu'une édition avec la consécration de *Prostituée, ma sœur…* d'Olouwadara Inandjo. À ce prix il faut adjoindre d'autres prix comme « Plumes togolaises » du FESTHEF (Festival de Théâtre de la Fraternité), le prix du concours littéraire de l'Université du Bénin (ce prix dont l'objectif est de faire émerger de jeunes auteurs parmi les étudiants) et le prix « Plumes émergentes » dont les conditions d'attribution restent à redéfinir avec plus de responsabilité pour faire de ce prix une réalité à prendre au sérieux.

Cameroun (216) et le Sénégal (175). Viennent ensuite le Bénin, le Mali, la Guinée et le Burkina. Ce qui implique que la production de livres devient une activité qui s'impose dans le paysage culturel. Mais, contrairement aux attentes des producteurs et des éditeurs, le livre tombe dans un oubli qui traduit le désintérêt de la population pour la chose culturelle. Plusieurs facteurs justifient cet état de choses :

> Les problèmes de légitimation des auteurs togolais ne sont donc pas simplement liés à l'absence de prix littéraire. Ces problèmes touchent également à la critique littéraire qu'elle soit universitaire, journalistique ou des pairs. La faiblesse de la promotion du livre par les médias est liée au fait que la plupart des journaux ne se sont pas préparés pour une telle activité. Le fait aussi que la littérature togolaise n'occupe pas une place importante dans l'enseignement et qu'elle n'évolue plus qu'à l'étranger, justifie le ghetto dans lequel cette littérature s'est retrouvée enfermée. La critique universitaire qui s'exprime à travers les mémoires, les thèses, les publications des enseignants dans plusieurs revues scientifiques, colloques, conférences et autres activités intellectuelles, est elle-même royalement ignorée et n'a que très peu d'espace de vulgarisation. (Gbénouga 2010 : 110)

La publicité à laquelle on pourra s'attendre par le « parrainage » des livres devient une activité futile. Ici aussi ce sont des travaux d'universitaires étrangers ou des Togolais vivant à l'étranger et exerçant dans des structures académiques étrangères qui, grâce au dynamisme des réseaux de distribution et des marchés, ont véritablement pu faire connaître des auteurs comme Couchoro, Ananou, Sami Tchak, Théo Ananissoh, Sewanou Dabla, Edem, etc. On pourra aisément citer Jean David (préfacier du *Fils du fétiche*), Alain Ricard (sa thèse de doctorat d'État donna lieu à l'essai *Naissance du roman africain : Félix Couchoro 1900-1968*, publié en 1987), Jànos Riesz, Sewanou Dabla, Ambroise Têko-Agbo, Sélom Gbanou, etc. À cela il faut ajouter le n°131 de la revue *Notre Librairie*, consacré à la littérature togolaise qui a connu une diffusion plus large et a eu plus d'impact grâce au dispositif mis en place par le ministère français des Affaires étrangères. On aurait pu attendre la même chose pour les *Acteurs du livre au Togo* publié par Graines de Pensées en 2008.

La réception universitaire des œuvres publiées sur le territoire national apparaît comme la meilleure des expressions du désintérêt ou de l'accompagnement dont doit bénéficier les auteurs « locaux ». Elle est une des voies de la consécration des auteurs et semble attester de la vitalité et de la validité d'un travail de création de qualité. L'université dans ce contexte devient une des possibilités de reconnaissance du travail fait par l'écrivain. C'est pourquoi l'intérêt que suscite la mise sur le marché d'un ouvrage de fiction, de dramaturgie, de poésie ou même d'essai chez les universitaires, est très recherché. Parce qu'il les perçoit comme possédant les clés d'analyse et d'appréciation des textes, le lecteur considère l'intérêt que les universitaires ont pour tel ou tel texte comme fondant sa qualité ou sa médiocrité. Au Togo, il convient de faire remarquer que cette espèce de promotion que la critique universitaire aurait dû assurer est presque inexistante ou du moins très faible. De façon générale, on peut relever un désintérêt de la part des universitaires eux-mêmes. Ils sont aussi soumis à l'influence de la critique francophone ou des grandes maisons d'édition françaises qui assurent la reconnaissance à certains Africains, présentés comme les meilleurs dans le domaine de la création littéraire. Ces auteurs ont pour nom Kossi Efoui, Kangni Alem, Théo Ananissoh, Edem Awumey, Rodrigue Norman et autres. Ainsi, ils ne participent pas efficacement à l'émergence des auteurs nouveaux dont la qualité des textes s'impose et peut conduire à des travaux de réflexion ou faire l'objet d'étude dans les classes.

Les travaux réalisés sur ces auteurs « de l'intérieur » ne reçoivent pas la consécration qu'ils méritent. Tout porte à croire que sur plus d'une centaine d'ouvrages que les maisons d'édition ont mis sur le marché togolais, très peu sont jugés dignes d'être lus ou conseillés aux étudiants des départements de la Faculté des lettres et sciences humaines. Les supports de cours utilisés actuellement au département de Lettres modernes laissent voir qu'aucun auteur révélé par les éditeurs nationaux n'est inscrit au programme. Les auteurs les plus étudiés sont Sami Tchak, Edem Awumey, Kossi Efoui dans les enseignements sur la littérature francophone, et même dans ceux portant sur « Les champs littéraires togolais » ; donc il s'agit des auteurs publiés à l'extérieur et qui se sont fait un nom grâce à la critique africaine et surtout francophone. Le roman et la poésie togolais publiés à l'intérieur sont les moins représentés. En effet, depuis plus de vingt ans maintenant, seuls Yves-Emmanuel Dogbé, David Ananou, Félix Couchoro (pour le roman) ; Gnoussira Annala, Laobé Hilla Amela (pour la poésie) ont été étudiés. Les références des universitaires se rapportent à des auteurs étrangers ou des auteurs togolais ayant publié leurs œuvres chez Gallimard, Le Serpent à plumes, Lansman, Table ronde, etc. à Paris. L'extérieur devient alors l'unique référence. Ce sont les auteurs français ou de la littérature africaine considérés comme des classiques qui sont étudiés et proposés comme pistes de lecture aux étudiants. Au niveau du roman, la seule exception est Félix Couchoro dont les œuvres ont été accueillies par un silence éloquent pendant des années. Il a fallu qu'Alain Ricard consacre sa thèse de doctorat d'État à cet auteur pour que les enseignants de l'Université se précipitent sur ses romans. Plusieurs colloques et conférences furent alors organisés et son roman *L'Esclave* fut mis au programme.

Pour ce qui est du théâtre, il faut dire qu'une grande attention a été accordée aux jeunes dramaturges qui ont bousculé les canons à partir des années 1990. Très tôt des dramaturges togolais ont été introduits dans les programmes d'enseignement au département de Lettres modernes. Les pièces comme *On joue la comédie* (1975), *La Tortue qui chante* (1987), *Le Club* (1984) de Senouvo

Agbota Zinsou, *Gaglo ou l'argent cette peste* de Koffi Gomez (1991), *Carrefour* et *Récupérations* de Kossi Efoui, *Chemins de croix* (1992) et *La Saga des rois* (1995) de Kangni Alemdjrodo, *Trans'ahéliennes* de Rodrigue Norman (2004), et plus récemment *La Charcuterie de la république* de Frédéric Gakpara (2006) ont connu des entrées dans les études à l'Université. Mais il convient de relever que tous ces auteurs ont été eux aussi consacrés par des structures extérieures, particulièrement par le Concours théâtral de Radio France Internationale. Le concours initié par cette radio et Françoise Ligier a permis de révéler plusieurs auteurs togolais qui ont emporté des prix prestigieux au cours de plusieurs années. Zinsou, Efoui, Alemdjrodo ont obtenu le premier prix et d'autres comme Bodi Lanvasso Bodelin ont reçu des prix non moins importants. Le fait que ces récipiendaires bénéficient de bourses d'études et participent à des ateliers d'écriture conduit à une certaine notoriété. En plus, les textes présentés au concours et primés sont publiés et diffusés à travers plusieurs pays, ce qui élargit l'audience de ces auteurs. En réalité, il s'agit ici aussi des auteurs présentés comme bons par l'extérieur que la critique universitaire récupère et célèbre.

Sur le plan de la production scientifique, le constat est encore plus décevant. De 2005 à 2014, il y a plus d'une quinzaine de thèses de doctorat qui ont été soutenues à l'Université de Lomé. Seules deux thèses portent sur la littérature togolaise. L'une, *Les Formes de spiritualité dans le roman togolais : aspects et fonctionnement*, est une vue globale du roman togolais tandis que la seconde, *L'Image du Togolais nouveau dans l'œuvre romanesque de Félix Couchoro* (2007), a été consacrée à l'étude des textes de cet auteur. Pour ce qui est des mémoires en vue de l'obtention de la maîtrise ès-lettres, du 8 juillet 2008 au 31 décembre 2012, date de la suppression de la maîtrise au profit des programmes de master, 189 mémoires ont été présentés et soutenus par des étudiants de Lettres modernes. Si la grande majorité d'entre eux se rapporte à la littérature africaine dans sa globalité, on ne relève que 49 mémoires sur les auteurs togolais, soit 25,39% de l'ensemble des mémoires. 19 mémoires portent sur les œuvres publiées par les maisons d'édition locales ou par les NEA. Cette faible proportion témoigne du délaissement de la production « locale » au profit des auteurs suffisamment connus. Il faudra peut-être faire remarquer aussi que sur les 19 on a 6 mémoires qui se sont appuyés sur *Déméninge* de Daniel Lawson-Body (2009) et *Un Continent à la mer* d'Ayayi Togoata Ạpédo-Amah (2012) qui sont tous deux des enseignants au département de Lettres modernes.

La critique journalistique est tout aussi presque inexistante et de façon globale ne participe pas réellement aux entreprises de légitimation qui puissent donner un quelconque rayonnement à ces auteurs. Cette critique, à travers la publicité qu'elle organise, assure une large vulgarisation des œuvres. Elle est indispensable à la promotion et à la réception d'une œuvre et pousse le lectorat vers la consommation du livre comme s'il s'agissait d'un produit simplement marchand. Qu'on le veuille ou non, elle agit sur le lectorat qu'elle influence d'une certaine manière. Mais au Togo, elle est assez absente de la sphère de la production et de la promotion des livres. La grande majorité des maisons d'édition n'ont aucun organe de presse. Leur propre promotion et celle des livres édités sont assurées le jour de la mise sur le marché par une animation promotionnelle. Il s'agit fondamentalement de présenter le texte et l'auteur au public en vue d'annoncer la parution du texte. Aucune conférence de presse n'est organisée après afin de mettre l'auteur en contact avec le public. Aucun article de presse non plus n'est commandé par l'éditeur. Les débats autour des nouveaux textes sont aussi rares et le public n'est jamais orienté vers ces nouveaux textes ou auteurs. C'est pourquoi les rares émissions purement littéraires n'attirent que très peu de monde, les goûts du public n'ayant pas été préparés pour la consommation de ces produits, par les mêmes médias.

En réalité, dans le domaine littéraire, les organes sont très mal préparés à cette attente. Quelques médias tels que *Radio Lomé*, *La Nouvelle Marche* (éphémère dénomination de *Togo-Presse*), *Togo-Dialogue, Carrefour*, *Kpakpa Désenchanté*, *La Lettre de la Nation*, *La Tribune des Démocrates*, *TV2* (Télévision deuxième), *Golfe Info*, *L'Union*, *Le Tambour*, *Kanal FM*, ont eu des publications très épisodiques sur la littérature togolaise. Seule la Télévision togolaise s'est investie pendant longtemps dans la critique journalistique. Malheureusement avec le départ à la retraite de l'animateur Ayi Mamavi, personne n'a pris la relève sur cette chaîne. Il est donc clairement établi que la critique journalistique est inexistante au Togo.

## Conclusion

L'absence de visibilité des auteurs togolais et surtout le peu d'intérêt de l'État à accompagner la création livresque, littéraire et tous les autres facteurs de démotivation observés dans le domaine de la production, ont eu des conséquences graves et dommageables sur la consommation du livre au Togo. Le peu d'intérêt, pour le livre, des scolaires, des étudiants et universitaires, des lettrés, ne se justifie que par l'absence de la pratique dès les basses classes. En effet, la non-lecture a pour cause l'absence de la pratique chez les encadreurs qui sont eux-mêmes peu portés sur la lecture du fait qu'ils n'ont pas été suffisamment entrainés à cette activité. Ainsi l'inexistence d'un public qui, par sa consommation, encouragerait et susciterait la naissance d'œuvres nouvelles devient un frein à la production livresque, quand on sait que la plupart des auteurs sont obligés de publier à compte d'auteurs, à cause de l'absence de subventions et de la faiblesse du mécénat. Les autres causes sont à chercher dans la qualité des textes et surtout au niveau de la responsabilité de l'État. Le fait que pendant longtemps les écrivains togolais étaient quasi absents des ouvrages généraux et des programmes scolaires était lié à l'absence de vision et d'une politique de promotion du livre.

## Ouvrages cités


2006. *Notre Librairie*, 131 (*Littérature togolaise*).

Agokla, Kossi. 1982. *Aube nouvelle*. Lomé/Dakar/Abidjan : NEA.

Alemdjrodo, Kangni. 1992. *Chemins de croix*. Lomé : NEA.

—— 1995. *La Saga des rois*. Lomé : NEA.

Ananou, David. 1955. *Le Fils du fétiche*. Paris : Les Nouvelles éditions latines.

Anonyme. 2008. *Acteurs du livre au Togo. Auteurs, éditeurs, imprimeurs, critiques littéraires, libraires, bibliothécaires*. Lomé : Graines de Pensées/Projet de lecture publique.

Apédo-Amah, Ayayi Togoata. 2006. « Le renouveau théâtral au Togo : de l'émergence vers la maturité ». *Notre Libairie*, 162 : 55-66.

—— 2012. *Un Continent à la mer*. Lomé : Awoudy.

Couchoro, Félix. 1929. *L'Esclave*. Paris : La Dépêche Africaine.

Dogbé, Yves-Emmanuel. 1984. *Réflexions sur la promotion du livre africain*. Paris : Akpagnon.

Gakpara, Frédéric Yawo. 2006. *La Charcuterie de la république*. Lomé : Graines de Pensées.

Gbanou, Sélom K. 2002. *La dissertation littéraire au BAC et au DEUG*. Lomé : Haho.

Gbénouga, Martin Dossou. 2010. « Emergence de la littérature au Togo et engagement de l'État ». In : Département de Lettres modernes. *Participation, Actes du colloque sur Identité, pouvoir et représentation de l'autorité*. Lomé : Université de Lomé. 97-114.

Gomez, Koffi. 1982. *Opération marigot*. Lomé/Dakar/Abidjan : NEA.

—— 1991. *Gaglo ou l'argent cette peste*. Lomé : NEA.

Lawson-Body, Daniel. 2009. *Déméninge*. Lomé : Graines de Pensées.

Norman, Rodrigue. 2004. *Trans'ahéliennes*. Bruxelles : Lansman.

Pinhas, Luc. 2005. *Éditer dans l'espace francophone*. Paris : Alliance des éditeurs indépendants.

Sydol, Francis. 1966. *Qui est mon prochain ?* Paris : Promotion et Édition.

Ricard, Alain. 1987. *Naissance du roman africain : Félix Couchoro 1900-1968*. Paris : Présence Africaine.

Zinsou, Senouva Agbota. 1975. *On joue la comédie*. Lomé : Haho.
—— 1984. *Le Club*. Lomé : Haho.
—— 1987. *La Tortue qui chante*. Paris : Hatier.
Typamm, Akakpo. 1958. *Poèmes et contes d'Afrique*. Paris : Cercle de la poésie et de la peinture.

# Le livre francophone « fabriqué en Afrique » : enjeux éditoriaux et défis littéraires

Cheikh Mouhamadou Diop
(Université Assane Seck-Ziguinchor)

**Abstract**

*In recent years, many publishing houses have been established in Africa. Among them, there are new and old publishers such as L'Harmattan-Paris. Having been established in Senegal first as a bookseller, this publisher today publishes many local authors in all genres (fiction, poetry, essay, memoirs, etc.). Indeed, L'Harmattan-Sénégal, which publishes many new writers and accompanies its literary output by large marketing campaigns through regular book launches as well as on the Internet, has shown itself to be a leader of local publishing. It is therefore evident that the presence on the continent of this publisher, whose practice has been criticized by some academics, poses the problem of (fair) competition between the European book industry and African publishers. Has the supposed rivalry between "old" and "new" publishers affected the aesthetic quality of the text published in Africa, compared to the "classic" work? What are the possible effects of this rivalry on the current literary production? How do African writers (Boubacar Boris Diop, Abasse Ndione, Ken Bugul, Tahar Ben Jelloun, Abdurahman A. Waberi, Sami Tchak, Tierno Monénembo, etc.) position themselves in this situation? How can African publishing be encouraged to be competitive in the global book market?*

**Keywords**: literary publishing; Africa; Europe; delocalisation; issues; challenges; international market

**Mots Clés** : édition littéraire ; Afrique ; Europe ; délocalisation ; problèmes ; défis ; marché international

La production du livre africain obéit aux lois du marché mondial et à l'évolution des outils et techniques de communication. Pendant longtemps entre les mains des éditeurs occidentaux ou de maisons « africaines » basées en Europe, l'édition des littératures d'Afrique suit le mouvement du commerce international et d'une industrialisation globalisée de retour sur le vieux continent. Ce phénomène est accompagné d'une prise de conscience de l'écrivain « fils d'Afrique » revenu sur la terre-mère pour s'y installer, y écrire ou publier. Mais quel est l'impact de ce *come back*, de cette délocalisation ou relocalisation de l'édition littéraire en Afrique ? Autrement dit, quels sont les enjeux du livre *made in Africa* sur le plan industriel et ses défis au niveau littéraire ? Ce questionnement nous impose d'abord de faire un rappel sur la place de l'édition locale africaine dans le développement d'une littérature continentale, ensuite d'interroger les relations entre éditeurs européens et nouvelles éditions africaines avant de revenir sur la problématique soulevée. Pour les illustrations, nous évoquerons principalement des œuvres éditées dans des espaces littéraires francophones favorisés par une gestion différentielle des colonies. C'est en ce sens que nous prenons souvent le cas du Sénégal, pour l'Afrique Occidentale Française (AOF), et du Cameroun, pour l'Afrique Équatoriale Française (AEF), pays qui ont été privilégiés par le pouvoir colonial grâce à un taux d'instruction élevé permettant ainsi à leurs premiers intellectuels de jouer un rôle primordial dans les tribunes idéologiques et artistiques mondiales comme dans la production et la diffusion des idées du continent.

## Les éditions locales d'Afrique et leurs productions littéraires marquantes

L'édition africaine a très tôt trouvé sur le continent des volontaires pour mettre en place un système de production et de diffusion des écrits d'auteurs engagés à la même cause : redonner à l'Afrique sa dignité en permettant à ses intellectuels d'avoir des tribunes pour s'exprimer. C'est ainsi que sont nées des entreprises d'imprimeurs-éditeurs et des revues qui étaient autant des porteuses d'idéologies que des « fabriques de chefs-d'œuvre ».

*L'édition en Afrique, une affaire d'idéologie*

Profitant du statut privilégié à l'époque d'instruits dans les lettres françaises, des intellectuels africains se sont attachés les bons services d'imprimeurs défendant la même cause, celle qui a motivé la revendication identitaire portée par des mouvements comme celui de la Négritude. Le pionnier dans le métier de l'impression d'œuvres littéraires au Sénégal est Abdoulaye Diop, le frère d'Alioune Diop, fondateur de la Maison d'édition Présence Africaine[1] à Paris. Avec comme seuls concurrents la Grande Imprimerie Africaine (GIA.) et l'Imprimerie Saint-Paul, l'Imprimerie Diop créée vers 1948 offre un moyen d'expression libre à de jeunes auteurs comme Abdoulaye Sadji dont elle publie les ouvrages *Tounka* (1952), *Tragique Hyménée* (1952), *Modou Fatim* (1960), *Maimouna, petite fille noire* (1952) et *Éducation africaine et civilisation* (1964) (Prinz 1988).

De fait, on perçoit nettement comment cet imprimeur participe à la diffusion d'une « Négritude intérieure », dont l'œuvre de Sadji se fait l'écho loin des phares de la métropole. C'est cette fibre

[1] Il s'agit au commencement d'une revue dont le premier numéro est intitulé : « *Niam n'goura Niam n'goura vana niam m'paya* », proverbe toucouleur qui signifie : « Mange pour que tu vives, ce n'est pas manger pour que tu engraisses ». Alioune Diop met un point d'honneur à créer un lien ferme alliant la culture, la fierté, le savoir et la sagesse entre les hommes noirs d'Afrique et du reste du monde (Amérique, Antilles). L'homme noir doit selon lui s'émanciper, la revue devient le support qui lui permettra de s'exprimer et aussi d'être informé, de prendre conscience de sa qualité d'homme libre et des possibilités qui lui sont offertes d'être vecteur d'une réussite commune (Shenoc 2007).

idéologique qui galvanisera de nombreux dramaturges aux lendemains des indépendances africaines et sera à l'origine d'une importante production de pièces de théâtre consacrées aux héros et héroïnes du continent noir (et des Antilles : *La Tragédie du roi Christophe* (1963) de Césaire par exemple) contre l'impérialisme occidental (Diop 2004 : 147-167). C'est ainsi que les Nouvelles Éditions Africaines (NEA), devenues NEA-Sénégal et Nouvelles Éditions Ivoiriennes (NEI), vont publier des textes sur Chaka (inspirés du *Chaka* de Mofolo traduit en français depuis 1939) comme *Chaka ou le roi visionnaire* de Marouba Fall (1984). On peut citer en exemple aussi *Les Amazoulous* d'Abdou Anta Kâ (1972). Cette œuvre, même si elle est publiée à Paris, participe de la même politique d'héroïsation initiée par le Président Senghor lequel est d'ailleurs le premier à produire une version lyrique de l'épopée zoulou en 1956, s'investissant ainsi dans la revalorisation de l'art et de l'histoire africaine.

Au-delà de ce positionnement idéologique identitaire, il faut reconnaitre aussi à l'édition africaine locale son engagement social et politique. Elle a en effet joué un rôle déterminant dans l'émergence d'une conscience africaine autoréflexive. La critique des tares de la société africaine entretenues par un certain conservatisme culturel et la dénonciation des dérives politiciennes se lisent dans plusieurs textes comme en témoignent *Le Revenant* (1976) et *Le Jujubier du patriarche* (1993), romans de l'auteure sénégalaise Aminata Sow Fall rendue célèbre par ses œuvres éditées en Afrique plus que par celles publiées plus tardivement en Europe. Cette célébrité est sans doute due à la dimension engagée de ses écrits et son implication dans les problèmes sociaux, culturels et politiques de son monde.

Cependant, l'engagement étant une chose, la fortune littéraire une autre, ces classiques de la littérature africaine ne sont pas appréciés toujours à leur juste valeur. Les grands auteurs africains ayant presque tous été révélés par l'Occident, on peut croire que les maisons d'éditions basées en Afrique sont encore juste des imprimeries. Pourtant, les succès locaux devenus des best-sellers internationaux ne manquent pas.

*L'édition en Afrique, fabrique de chefs-d'œuvre*

Quand on énumère les meilleures œuvres de la littérature africaine, on ne peut manquer de citer *Une si longue lettre* de Mariama Bâ (1979) ou *Tribaliques* d'Henri Lopès (1971). Autrement dit, les éditeurs africains ont compris très tôt que l'exigence de qualité est un défi que les écrivains du continent peuvent relever. Il y a donc un enjeu à les publier et à les diffuser hors de l'Afrique. Autant le mérite revient à un auteur de talent qui a produit une œuvre comme *La Grève des battù* (1979), autant les éditions NEA peuvent se vanter de l'avoir lancé en publiant un coup d'essai tel que *La Vie en spirale* (1984) d'Abasse Ndione – même si la publication intervient huit ans après le dépôt du manuscrit ! – alors que le roman policier africain n'attirait pas encore trop de lecteurs. Il en est de même de Ken Bugul dont le premier ouvrage, *Le Baobab fou* (1982), « est un rude coup porté à la société bien-pensante sénégalaise », selon Sokhna Benga (2014), une autre figure de la littérature féminine sénégalaise. Cette dernière dont la presse sénégalaise dit à juste titre qu'elle est « une plume touche-à-tout » est d'ailleurs l'exemple type d'un succès littéraire local car son œuvre immense et variée qui compte pas moins d'une trentaine de productions dont une dizaine de romans et au moins huit livres pour enfants (pour ne pas dénombrer les recueils de poèmes ou de nouvelles, les scénarios de films et les écrits en coédition) est essentiellement publiée en Afrique, à Abidjan et surtout à Dakar. Certes, elle est éditrice mais tous ses textes ne sont pas sortis de sa maison d'édition. Les nombreuses distinctions comme un diplôme de reconnaissance littéraire lors du sixième concours international de l'association française « Académie Francophone », en 1998 pour son roman *Bayo*, inédit à l'époque, le Grand prix de la commune de Dakar en 1988 pour *Le Dard du secret* et le Grand prix du Président de la République pour les lettres en 2000 pour *La Ballade du Sabador* témoignent du talent de cette écrivaine.

On peut rajouter l'exemple de l'écrivain béninois Jean Pliya, remarquable par ces publications en Afrique à des endroits différents (Yaoundé, Abidjan, Dakar) depuis son recueil de nouvelles intitulé *L'Arbre fétiche* (1971) jusqu'à celui des contes et récits traditionnels du Bénin, *La Fille têtue* (1982), en passant par *Kondo le requin* (1966), Grand prix littéraire d'Afrique noire en 1967, et *La Secrétaire particulière* (1973), pièce aussitôt mise en scène par le Théâtre Nationale Daniel Sorano de Dakar.

Il importe ainsi de souligner que de grands auteurs et des chefs-d'œuvre littéraires sont sortis des presses africaines. Dans cette perspective, ils valent leur pesant d'or à l'international autant comme bréviaire que comme support pédagogique. *Une si longue lettre* de Mariama Bâ qui connaît plus d'une douzaine de traductions avant la publication d'une version en wolof (langue nationale sénégalaise) et une adaptation pour la télévision (*Bataxal*[2]) ou *la Grève des battù* d'Aminata Sow Fall, roman porté au cinéma par le réalisateur malien Cheick Oumar Cissoko en 2000, sous le titre *Battù*. Le film obtiendra le prix RFI Cinéma du public au FESPACO en 2001.

En outre, les éditeurs africains participent depuis longtemps à la diffusion de célébrités littéraires venues du continent en publiant des traductions comme la version française de *The Lion and the Jewel* de Wole Soyinka (prix Nobel de littérature en 1986), en

[2] Pièce réalisée par la Radiodiffusion et télévision sénégalaise et jouée par la troupe de théâtre Daraay Kocc.

rééditant des classiques tels que *Trois prétendants un mari* de Guillaume Oyono-M'bia ou des textes inédits à l'image du poème *Ici commence ici* de Sony Labou Tansi. C'est dire la collaboration qui existe déjà entre maisons occidentales et éditeurs d'Afrique malgré la concurrence qu'impose le marché du livre actuel.

## Les éditions européennes et les nouveaux éditeurs africains : une concurrence déloyale ?

L'édition francophone en Afrique est, comme la littérature, fille de la colonisation. Elle est tributaire du progrès de l'imprimerie occidentale et doit en partie à l'héritage légué par les missionnaires blancs[3]. Mais si les relations entre les premiers éditeurs africains et les maisons européennes se justifiaient souvent par la nécessité d'assurer la « couverture » internationale d'une tutelle ou de passer par une phase de transition avant de rompre « définitivement » la dépendance à une métropole qui a le monopole de la production et de la diffusion des livres africains, les liens entre les maisons du Nord et les nouvelles éditions d'Afrique sont basés sur une relation mercantile plus que sur une solidarité humanitaire. Il s'agit désormais de créer un système de partenariat concurrentiel (donc de rivalité) pour conquérir le marché continental du livre.

### *La coédition ou la double édition*

L'édition africaine collabore depuis sa genèse avec les éditeurs occidentaux, que ce soit dans la continuité d'une relation filiale, dans une logique d'échanges commerciaux ou d'extension d'entreprise. Néanmoins, il n'existe pas beaucoup d'œuvres

---

[3] Les imprimeries Saint-Paul, les éditions CLE, les librairies Clairafrique sont des exemples de ce legs.

produites en coédition aux lendemains des indépendances. Rares sont les ouvrages coédités par des Africains et des Européens dans les années 70 et 80. Il n'existait sans doute pas à cette époque de « co-impression de livres » mais on peut remarquer des coéditions consistant en un accord, pour traduire ou adapter un ouvrage, passé entre un éditeur étranger détenteur des droits de publication et qui les cède. C'est ce type d'accord qui a permis à CLE de publier *Le Lion et la perle* de Soyinka.

Il faut attendre le début du troisième millénaire pour que se multiplient différentes formes de collaboration qui vont de l'élargissement de l'activité commerciale avec l'amoindrissement des coûts de production à une coédition solidaire. C'est dans cette perspective que les coéditions de Hatier International et Édicef sont diffusés et distribués dans de nombreux pays d'Afrique, du Maghreb et du Proche-Orient par des partenaires nationaux. Comme l'écrit Amande Reboul :

> Outre le partage des frais fixes, l'éditeur primaire conserve généralement le droit de reproduction du texte. Il se place alors en position de libre arbitre et se porte garant de la visibilité de l'ouvrage. On rencontre ce cas de figure en coédition interafricaine, dans le cas des collections pour enfants « Le Serin » et « La Libellule », initiées en 2002 par la maison d'édition béninoise Ruisseaux d'Afrique. La cession des droits à d'autres éditeurs peut alors se réduire à une simple autorisation, plus ou moins étendue, de reproduire une œuvre, texte et image, de la traduire dans une ou plusieurs langues étrangères. De même peut-on concevoir un partenariat entre des éditeurs qui seraient codétenteurs des droits. D'un principe à l'autre, la démarche diffère d'un point de vue éthique, l'intérêt essentiel de la coédition étant de faire appel à une forte sociabilité entre les partenaires. (Reboul 2003)

Aujourd'hui, la priorité étant de rendre le livre accessible aux lecteurs africains, l'éditeur africain ne peut se passer de partenaires, qu'il s'agisse des membres d'un réseau continental ou d'une maison d'édition située hors de l'Afrique. En effet, les doubles éditions ou les coéditions d'œuvres permettent de réduire leurs prix dans les pays où les populations ont des revenus modestes. C'est ainsi que de nombreux textes sont publiés conjointement en Occident et en Afrique (ou même en Orient). Cela est déjà effectif au Maghreb ; par exemple *Le Pharaon* d'Albert Memmi est sorti en 2006 à Tunis après sa publication à Paris en 2001 ; un roman de Yasmina Khadra, *L'Équation africaine*, a également été publié à Constantine et Paris. Sur un autre mode, l'écrivain sénégalais Abasse Ndione a réussi à convaincre les éditions Gallimard de vendre son roman *Mbëkë mi, à l'assaut des vagues de l'Atlantique* à deux euros (au lieu de douze) en Afrique. Il en est de même de l'ouvrage de Felwine Sarr Dahij qui coûte au Sénégal six euros soixante-dix et non les treize mentionnés par l'éditeur à la quatrième de couverture. Il n'est pas impossible toutefois que ces maisons du Nord recourent à ce qu'on peut qualifier de « sous-traitance » (comme cela se fait déjà dans le domaine de l'électronique) pour amortir les frais de production pour les livres destinés au marché africain. Il peut s'agir aussi juste d'un portage qui permet de « dénicher » des talents comme F. Sarr. Son roman susmentionné est publié dans la collection « L'Arpenteur », abritée par Gallimard depuis sa création en 1988 par Gérard Bourgadier, alors directeur des Éditions Denoël. Comme écrit sur le portail du site de Gallimard, c'est « une cellule éditoriale autonome dédiée à ses choix et paris d'éditeur » qui « officierait donc à son seul gré, chaque couverture de la nouvelle collection portant de façon significative une vignette assortie d'une anagramme aisément déchiffrable : "G.E.R.A.R.D. B." » (www.gallimard.fr)

Ce qui veut dire que cette solidarité est plus encouragée par des réseaux interafricains comme Alliance internationale des éditeurs indépendants. Cet opérateur culturel a permis de rééditer des textes littéraires captivants tels que le roman *La Civilisation, ma mère* de l'écrivain marocain Driss Chraïbi ou des réflexions avec de grands auteurs comme l'historien Joseph Ki-Zerbo[4], publiés tous deux aux éditions Éburnie à Abidjan (Côte d'ivoire) en 2013. Par ailleurs, ces structures contribuent significativement à la production de manuels scolaires, de supports pédagogiques universitaires et aussi de livres participant à la formation citoyenne ou à l'éducation communautaire. On peut citer en exemple la bande dessinée de Benjamin Kouadio *Le Sida tue, et alors ?* (2013). Cependant, la volonté de produire et de diffuser un « livre équitable » risque d'être réduite par la concurrence que livrent des éditeurs occidentaux aux petites entreprises éditoriales africaines en se délocalisant sur le continent.

*L'édition européenne délocalisée : une concurrence déloyale ? Le cas de L'Harmattan*

Dans un article publié par *Jeune Afrique*, intitulé « Le mystère L'Harmattan », Dominique Mataillet présente le cas de cette maison d'édition ainsi :

> Trente ans après sa création, la petite entreprise tiers-mondiste est devenue, avec plus de 1 600 titres en 2003, le numéro un du secteur en France. Une telle expansion intrigue, d'autant que la maison ne répond à aucun modèle connu.
> La première page du site Internet s'ouvre. En haut à droite, bien en évidence, une série de chiffres apparaissent : « 15 431 titres au catalogue, 9 815 auteurs, 459 collections, 705 numéros parmi 94 revues » (chiffres au 4 août 2004). À L'Harmattan, on tire la plus grande fierté de cette avalanche de parutions. L'entreprise créée en 1975 dans un petit local de la rue des Quatre-Vents, non loin du carrefour de l'Odéon, est aujourd'hui – par le nombre de titres, car en termes de chiffre d'affaires, elle n'est que... soixante-treizième – le premier éditeur de France : 1 635 ouvrages publiés en 2003, devant

[4] Cet ouvrage, *À quand l'Afrique ?* est publié aussi par d'autres éditeurs indépendants : L'Atelier/Sankofa & Gurli/Ruisseaux d'Afrique/Jamana/Presses Universitaires d'Afrique/Africaine d'Édition et de Services (PUA/AES)/ Mémoire d'encrier/Editions d'en bas.

> Hachette, Gallimard, Le Seuil et tous les autres poids lourds du secteur. (Mataillet 2004)

L'Harmattan a eu ainsi un succès phénoménal qui en fait un cas à part dans le milieu de l'édition des œuvres sur l'Afrique avant son installation sur le continent dans des pays comme le Sénégal. L'adresse de la villa de la rue de Diourbel au Point E, à Dakar, n'est pas seulement celle d'une boutique de la maison d'édition basée à Paris ; elle est aussi celle d'un éditeur, L'Harmattan-Sénégal. L'administrateur de cette structure édite désormais sous ce nom en usant des pratiques, soupçonnées d'être douteuses car laissant un flou sur les responsabilités juridiques[5], de la maison mère et de ses succursales, ne respectant pas une certaine éthique et se souciant peu de la qualité[6]. Il revient à l'auteur de suivre le

---

[5] À ce propos, il faut noter qu'il y a eu de nombreux procès contre les éditions L'Harmattan qui lui ont valu quelques condamnations comme le rapporte le Conseil permanent des écrivains (CPE) : « La Société des gens de lettres et le Syndicat national des auteurs et des compositeurs ont, par exemple, obtenu du Tribunal de grande instance de Paris, en novembre 1999, la condamnation de la société des Éditions L'Harmattan pour son contrat d'édition type proposé aux auteurs car il comportait une clause illicite prévoyant 0 % de droits d'auteur pour les 1000 premiers exemplaires vendus » (Rengervé 2007 : 28). Cette condamnation a sans doute fait jurisprudence (*Ibid.* : 165-176) mais le type de contrat à 7% au 501e exemplaire est toujours décrié. Dans son blog, Pierre Assouline revient sur les « publications judiciaires » du *Monde diplomatique* de mai 2006, en rappelant un arrêté du 25 novembre 2005, le SNAC (Syndicat national des auteurs et des compositeurs) et la SGDL (Société des gens de lettres de France) ont obtenu gain de cause contre L'Harmattan auprès de la Cour d'appel de Paris. (Assouline 2006).

[6] C'est Dominique Mataillet qui note : « À la question "compte d'auteur", Google, le numéro un des moteurs de recherche sur Internet, donne une dizaine d'adresses, parmi lesquelles Bookpole, Ediauteur, La Compagnie littéraire, l'incontournable Pensée universelle et, en tête de liste, L'Harmattan. Si les responsables de cette maison ne contestent pas bruyamment cette labellisation, c'est qu'elle leur est profitable. […] Le revers de la médaille - et ce n'est pas faire injure à ses auteurs – est que cette maison publie tout et n'importe quoi. D'excellentes études aussi bien que des mémoires de maîtrise bruts de

protocole de rédaction de L'Harmattan, de corriger lui-même son texte et de le remettre « prêt à clicher ». En contrepartie, il cède ses droits « à titre gratuit » pour les cinq cents premiers exemplaires vendus et touchera, s'il parvient à les atteindre, entre cent-un à mille cinq cents livres vendus juste sept pour cent. Du reste, il fait un préachat de cinquante exemplaires le plus souvent (*Ibid.*).

Finalement, comme l'éditeur dépense peu en frais de fabrication et en émoluments, il ne prend pas réellement de risque. Mais étant donné que les auteurs qu'il publie n'ont souvent d'exigence autre que la sortie de leur texte, cela ressemble à un contrat « gagnant-gagnant ». Au Sénégal, de nombreux jeunes écrivains, des universitaires et des personnalités publiques (des politiques souvent) profitent de cette « aubaine » pour faire éditer leur manuscrit, et souvent à compte d'auteur (même si le contrat ne le dit pas !). Il importe donc de se demander s'il n'existe pas de concurrence déloyale à l'égard des autres éditeurs. Pierre Assouline cite « un long article d'Antoine Schwartz, consacré au *Règne des livres sans qualités* » où ce chercheur « s'interroge sur la crise de l'édition en sciences sociales, et la réduction du nombre de titres partout sauf... à L'Harmattan » (Assouline : 2006).

Il va de soi donc qu'on ne saurait apprécier le travail de L'Harmattan (que nous ne mésestimons pas du reste) sans décrier

---

décoffrage qui n'intéressent que quelques dizaines de personnes. Dès les années 1980, les libraires s'étaient fait une religion, estimant qu'ils ne pouvaient rien tirer de ce fatras de bouquins sur le Tiers Monde. Il est très rare qu'un livre de L'Harmattan se détache du lot. Le best-seller de la maison est longtemps resté *À qui appartient le Maroc ?* sorti en 1991. Il est vrai que ce titre avait bénéficié d'un battage médiatique exceptionnel : l'auteur, Moumen Diouri, avait été expulsé de France juste avant la parution de son texte » (Mataillet 2004).

ces méthodes où le mercantilisme l'emporte sur le rôle d'un éditeur, la quantité sur la qualité, sous prétexte que « de grosses pointures de la littérature africaine comme Ken Bugul, Sami Tchak et Boubacar Boris Diop ont fait paraître leurs premiers textes [à la] rue de l'École-Polytechnique » ou que son directeur, Denis Pryen, un homme « engagé », « et son équipe [ont] le mérite d'être parmi les derniers défenseurs des sciences humaines en France. Sociologie, linguistique, psychiatrie, problèmes d'éducation, questions religieuses, aménagement du territoire... » (Mataillet 2004). Avec sa politique éditoriale actuelle, cette maison d'édition reste une entreprise commerciale qui regarde avant tout le chiffre d'affaires alors que l'édition littéraire africaine a des enjeux et des défis de performance à relever.

## Pour une édition africaine performante

Les défis et les enjeux de l'édition africaine sont nombreux. Il faut certes augmenter la capacité de fabriquer des livres en Afrique mais cette production littéraire doit être de qualité pour être concurrentielle dans le marché local comme international. Mais comment faire de la qualité sans des structures de base adaptées pour former aux métiers de l'édition et une industrie du livre capable d'assurer toutes les étapes du circuit ?

### *Quel statut pour l'éditeur africain ?*

L'éditeur africain a un statut souvent hybride. Parfois c'est un imprimeur, parfois c'est un écrivain, parfois un libraire, parfois juste un universitaire, etc. Cette situation est l'une des principales entraves à son expansion. En effet, le manque de professionnalisme freine sa capacité à développer des stratégies pour asseoir une politique éditoriale dynamique pour booster la production ou à exploiter toutes ses potentialités pour faire face à la concurrence. D'ailleurs, si L'Harmattan-Sénégal a pu s'accaparer si rapidement du marché national, c'est parce qu'il a trouvé sur place majoritairement des éditeurs « amateurs » ou qui ont appris sur le tas les rouages du système. Son administrateur est l'un des rares responsables d'édition dans le pays à avoir un diplôme spécialisé de deuxième cycle dans ce domaine. Jimsaan de F. Sarr et B. Boris Diop, qui est une des dernières entreprises éditoriales, est non seulement à l'état de création mais aussi elle reprend la tradition des éditions Khoudia (d'Aminata Sow Fall) ou Oxyzone (Sokhna Benga) : la capture de fonds.

Nombreux sont aujourd'hui les éditeurs qui bénéficient de la subvention de l'État du Sénégal sans trop de succès ni de suivi d'une politique instituée pour user de ce fonds. Plutôt que de miser d'abord sur la réédition de classiques comme Actes Sud l'a fait de *Toiles d'araignées*, ils cherchent souvent à révéler de nouveaux talents. Certes, il est important de faire découvrir des écrivains méconnus, surtout dans le contexte des littératures minoritaires (celle du Gabon par exemple), mais l'option est un investissement risqué. C'est pourquoi l'éditeur gabonais ODEM (Odette Maganga) a fait le choix de publier, en plus des auteurs nationaux qui sortent de l'ombre, des écrivains déjà confirmés comme le Togolais Sami Tchak avec son roman *l'Ethnologue et le Sage* ou le Congolais Joseph Tonda avec *Chiens de foudre*. Mais la réussite de cette maison c'est surtout sa participation aux débats « autour de l'édition africaine » et sa contribution pour la recherche littéraire africaine, autant pour les travaux sur des productions considérées comme mineures (parce que sous-représentées encore), que pour la publication de textes sur des écrivains mythiques comme Césaire ou sur des enseignements d'un universitaire de renom comme Papa Samba Diop.

Il existe ainsi des stratégies de remédiation pour professionnaliser davantage l'édition africaine, qu'il s'agisse de publier des réflexions scientifiques ou de diffuser la littérature générale. Mais comment remédier véritablement au déficit de production et à la faiblesse de diffusion du livre africain ?

*Pour une véritable industrie du livre*

L'industrie africaine du livre a deux défis majeurs à relever si elle veut être concurrentielle : d'une part il faut agir à tous les niveaux de la chaîne de production et de diffusion ; d'autre part elle doit avoir une véritable politique de la formation qui va des auteurs à plusieurs catégories de travailleurs. En effet, il y a une nécessité à impulser la créativité aussi bien chez les auteurs, les traducteurs que chez les illustrateurs. Il est indispensable de fait que l'écrivain puisse partager son expérience avec le lecteur africain, à travers par exemple des ateliers d'écriture pour toutes les catégories sociales comme le fait souvent Ken Bugul, ou par le biais du genre de programme mis en place par la Fondation *Rolex Mentors and* Protégés qui a permis à l'écrivain marocain Tahar Ben Jelloun de devenir le mentor du jeune écrivain togolais Edem Awumey dont il a suivi le travail durant un an et demi (2006-2007). De même, les universités devraient, à l'image des académies américaines où enseignent Abdourahman A. Waberi et Alain Manbanckou, offrir des cours de *creative arts* et donc une place aux auteurs même s'ils ne sont pas docteurs ès Lettres. L'université Gaston Berger de Saint-Louis du Sénégal a tenté, non sans heurt avec les universitaires « puristes », cette expérience dans son UFR des Civilisations, Religions, Arts et Communication avec l'écrivain Boubacar Boris Diop[7]. Pourtant,

[7] Voici un extrait du mémorandum diffusé à l'occasion par le syndicat protestataire, le SAES (Syndicat autonome de l'enseignement supérieur) : « Depuis deux ans on assiste au recrutement au niveau des nouvelles UFR d'enseignants qui n'ont pas le diplôme universitaire requis et qui sont alignés au plan salarial sur les grades universitaires très hiérarchisés. Pour ce faire *UN CONTRAT DE PRESTATIONS DE SERVICES D'ENSEIGNEMENT, D'ENCADREMEMENT ET D'ADMINISTRATION* a été institué. Inutile de

ce philosophe, journaliste et auteur de fiction qui a choisi depuis longtemps de faire de son pays sa résidence d'écriture et qui publie dans sa langue maternelle ou *lingua franca*, le wolof, a beaucoup à enseigner à des étudiants en civilisation. Ce cas montre clairement la difficulté que nos pays ont pour mettre en place une véritable institution littéraire, tellement le professionnalisme manque, les réticences et les *a priori* sont nombreux.

Ces préjugés sont d'ailleurs le frein à la réorientation des étudiants de lettres vers des options professionnalisantes en rapport avec leur formation de base et qui leur ouvrent des débouchés autres que les métiers classiques (dont professeur de français). Comment former des éditeurs, des chefs de projet, des correcteurs, des iconographes, des responsables éditoriaux en multimédia, des secrétaires d'édition, des techniciens de la fabrication du livre, si on ne démultiplie pas les formations comme celle du département d'édition et d'arts graphiques, sis à l'École des sciences et techniques de l'information et de la communication (ESSTIC) de Yaoundé ? Comment diffuser ou bien vendre le livre africain si tous nos enseignements en marketing ignorent le rôle d'un libraire, d'un attaché de presse, d'un agent littéraire, des responsables de cession de droits, etc. ?

---

préciser que ce type de contrat est un montage « maison », anti académique et dont les grades qu'il octroie sont fictifs. C'est le cas notamment du contrat de prestations de services d'enseignement, d'encadrement et d'administration du 20 juillet 2012 (renouvellement), accordé à Boubacar Boris Diop, écrivain, rédigé sans référence à un texte qui l'autorise, sans visas, sans référence aux diplômes, et qui, gravissime et extrêmement choquant, en son article 4, l'aligne clairement sur les professeurs titulaires de classe normale de la loi de 81 en stipulant : "en contrepartie de la réalisation des prestations………, l'Université Gaston Berger versera mensuellement à Monsieur Boris Diop une somme correspondant à la rémunération afférente à l'indice 760 des professeurs titulaires de classe normale de la loi de 81 ». (Les membres universitaires de la convergence des cadres républicains 2012)

Les documentalistes-archivistes, les bibliothécaires, les conservateurs ne sont pas les seuls professionnels du livre.

L'industrie du livre a beaucoup à apprendre des pratiques canadiennes avec les subventions que donnent les provinces aux éditeurs en veillant à ce qu'elles soient utilisées pour encourager la publication des littératures mineures comme la littérature franco-ontarienne. C'est de cela que bénéficient les éditions Malaika, basées à Ottawa et créées par l'écrivaine Angèle Bassolé-Ouédraogo, auteure de *Burkina Blues* (2000).

Les éditions Le Serpent à plumes et la librairie Athéna (affiliée à Jimsaan de B. Boris Diop et Felwine Sarr) sont également des exemples des possibilités qui s'offrent aux Africains où qu'ils se trouvent pour produire, diffuser et faire la promotion du livre fabriqué sur le continent ou écrit par ses enfants. Toutes les deux reprennent un aspect fondamental qui est son militantisme, c'est-à-dire son positionnement dans le monde littéraire selon des préoccupations socioéconomiques, des spécificités culturelles et parfois des choix politiques. Les vrais enjeux et les défis de l'édition africaine sont à ce niveau : comment imposer dans le marché mondial un livre produit en Afrique tout en lui faisant porter les valeurs et le discours de ce continent ?

Il faut dire que ces considérations idéologiques et identitaires sont déjà perceptibles dans les écrits des auteurs africains de la diaspora que ce soit ceux qui sont considérés, parce qu'ils « se vendent bien », grâce à leurs succès et leurs sorties attendues, comme les « enfants de la République », ou ceux qu'on désigne comme les « enfants de la postcolonie » parce qu'ils font « fronde » contre un certain « colonialisme » éditorial et contre une conception ostraciste de la francophonie (Mambenga-Ylagou 2013). Si Tahar Ben Jelloun (prix Goncourt 1987) est resté fidèle aux éditeurs français Le Seuil et Gallimard pendant plus de trente ans, il n'en est pas moins attentif à la nécessité de revenir publier, de temps à autre, au Maroc, cette terre qu'il a choisie comme décor dans tous ses romans et qui « écrit aussi l'histoire des hommes » (Ben Jelloun 2004 : 37). Abdourahman A. Waberi (Grand prix de la nouvelle francophone et Grand prix littéraire de l'Afrique en 1996 pour *Cahier nomade…*) mène également un combat d'idées pour répercuter des aspirations d'une intelligentsia qui a foi en l'Afrique même s'il n'a pas encore délocalisé la publication de ses œuvres. Tierno Monénembo, revenu s'installer en Guinée, a publié son dernier texte, *Le Terroriste noir* (2012), qui a obtenu cinq prix littéraires, chez Le Seuil mais le roman est traduit en anglais au Ghana. Ce sont là autant de postures d'écrivains qui ont tous un attachement certain pour leur continent d'origine et qui portent donc la voix de celui-ci comme ceux qui ont choisi d'écrire et de publier depuis l'Afrique. Mais, pour les « récupérer » ne faudrait-il pas que les institutions littéraires et les lecteurs africains puissent les récompenser à la hauteur de leur talent ?

La perception que nous avons de l'édition africaine est souvent conditionnée par celle de la production et de la diffusion du livre en Occident. L'importance du marché littéraire occidental rend en effet imperceptible le rôle que les premiers éditeurs du continent africain ont joué dans les grandes luttes de l'Afrique de l'époque coloniale et au lendemain des indépendances. Sur le plan thématique comme esthétique, les maisons d'édition locales ont démontré leur capacité à relever les défis de produire des œuvres littéraires couronnées de succès et de fortune. Aujourd'hui, les enjeux sont plus qu'idéologiques ; il s'agit pour la nouvelle édition africaine d'avoir un marché performant et concurrentiel sur le plan international. Elle devra compter sur les réseaux continentaux et les partenaires extérieurs tout en étant exigeant sur la qualité de ses produits ; une exigence qui nécessite de reconsidérer le statut de l'éditeur et la reprofessionnalisation du secteur. L'industrie du livre « fabriqué » en Afrique a certes d'énormes potentialités mais elle demande à être inscrite dans une perspective de développement.

## Ouvrages cités


http://www.gallimard.fr/Divers/Plus-sur-la-collection/L-Arpenteur; accédé le 20 juillet 2014.

Assouline, Pierre. 2006. « Les méthodes de l'Harmattan condamnées ». *La République des livres*, 17 mai (http://passouline.blog.lemonde.fr/2006/05/17/2006_05_les_mthodes_de_/; accédé le 20 juin 2014).

Bâ, Mariama. 1979. *Une si longue lettre*. Dakar : NEA.

Bassolé-Ouédraogo, Angèle. 2000. *Burkina Blues*. Québec : Humanitas.

Ben Jelloun, Tahar. 2004. *Le Dernier ami*. Paris : Le Seuil (Points).

Benga, Sokhna. 1990. *Le Dard du secret*. Dakar : Éditions Khoudia.

—— 2000. *La Balade du Sabador* : Dakar/Corbeil-Essonnes : Le Gai Ramatou.

—— 2007. *Bayo*. Abidjan : NEA/CEDA.

—— 2014. « *Le Baobab fou* de Ken Bugul ». *sokhana-benga.over-blog.com*, 4 février. (http://sokhna-benga.over-blog.com/article-le-baobab-fou-de-ken-bugul-44272581.html; accédé le 20 juillet 2014).

Césaire, Aimé. 1963. *La Tragédie du roi Christophe*. Paris : Présence Africaine.

Chraïbi, Driss.1988. *La Civilisation, ma mère*. Paris : Gallimard (Folio)/Abidjan : Éditions Éburnie.

Diop, Cheikh. 2004. « Traditions théâtrales et identité sénégalaises ». *Interculturel*, 8 : 147-167.

Fall, Aminata Sow. 1976. *Le Revenant*. Dakar : NEA.

—— 1979. *La Grève des bàttu*. Dakar : NEA.

—— 1993. *Le Jujubier du Patriarche*. Dakar : Éditions Khoudia.

Fall, Marouba. 1984. *Chaka ou le roi visionnaire*. Dakar : NEA.

Oyono-M'bia, Guillaume. 1963. *Trois prétendants un mari*. Yaoundé : Éditions CLE.

Kâ, Abdou Anta. 1972. *Les Amazoulous*. Paris : Présence Africaine.

Ken Bugul. 1982. *Le Baobab fou*. Dakar : NEA.

Khadra, Yasmina. 2011. *L'Équation africaine*. Paris : Julliard/Constantine : Éditions Media-plus.

Ki-Zerbo, Joseph. 2013. *À quand l'Afrique ? Entretien avec René Holenstein*. Abidjan : Éditions Éburnie.

Kouadio, Benjamin. 2013. *Le Sida tue, et alors* ? Abidjan : Éditions Éburnie.

Les membres universitaires de la convergence des cadres républicains (ccr). 2012. « Mémorandum sur la gouvernance du Recteur de l'Université Gaston Berger de Saint-Louis ». Saint-Louis : SAES - coordination de l'Université Gaston Berger (saesgroup).

Lopès, Henry. 1971. *Tribaliques*. Yaoundé : Éditions CLE). [1983. Yaoundé/Paris : CLE/Press Pocket].

Ly, Ibrahima.1982. *Toiles d'araignées*. Paris : L'Harmattan. [1985. Arles : Actes Sud (Babel).

Mambenga-Ylagou, Frédéric. 2013. « Édition, diffusion et enseignement des littératures africaines : quels enjeux ? ». In Mambenga-Ylagou, Frédéric & Mombo, Charles Edgar. *Autour de l'édition et de la diffusion des littératures africaines*. Libreville : ODEM. 43-59.

Mataillet, Dominique. 2004. « Le mystère l'Harmattan », *Jeune Afrique*, 23 aout (http://www.jeuneafrique.com/Article/LIN15084lemysnattam0/; accédé le 20 juillet 2014).

Memmi, Albert. 2001. *Le Pharaon*. Paris : Éditions de Félin. [2006. Tunis : Cérès Éditions].

Monénembo, Tierno. 2012. *Le Terroriste noir*. Paris : Seuil.

Ndione, Abasse. 1984. *La Vie en spirale*. Dakar : NEA. [2004. Paris : Gallimard (Série noire)].

—— 2008. *Mbëkë mi, à l'Assaut des vagues de l'Atlantique*. Paris : Gallimard (Continents Noirs).

Pliya, Jean. 1971. *L'Arbre fétiche*. Yaoundé : Éditions CLE.

—— 1973. *La Secrétaire particulière*. Yaoundé : Éditions CLE.

—— 1981 [1966]. *Kondo le requin*. Yaoundé : Éditions CLE.

—— 1982. Abidjan/Dakar/Lomé : NEA.

Prinz, Manfred. 1988. « Quarante ans d'imprimerie Diop 1948-1988 ». *Éthiopiques,* 48-49, (http://ethiopiques.refer.sn/spip.php?article1118; accédé le 20 juillet 2014).

Reboul, Amande. 2003. « Éditer autrement – du Nord au Sud, qu'est-ce que la coédition ? ». *Africultures*, 57 : 134-142. (http://www.africultures.com/php/?nav=article& no=3207 ; accédé le 20 juillet 2014).

Rengervé, Emmanuel de (Dir.). 2007. *Le Contrat d'édition. Comprendre ses droits, contrôler ses comptes*. Paris : Publications Conseil permanent des écrivains/SNAC (http://www.snac.fr/pdf/cpe-snac-comptes.pdf; accédé le 20 juillet 2014).

Schenoc. 2007. « Alioune Diop (1910 - 1980) ». www.shenoc.com, 2 novembre (http://www.shenoc.com/alioune%20diop.htm; accédé le 20 juillet 2014).

Soyinka, Wole. 1962. *The Lion and the Jewel*. Londres : Oxford University Press. [1971. *Le Lion et la perle*. Yaoundé : Éditions CLE].

Tansi, Sony Labou. 2013. *Ici commence ici*. Yaoundé : Éditions CLE.
Tchak, Sami. 2013. *L'Ethnologue et le Sage*. Libreville : ODEM.
Tonda, Joseph. 2013. *Chiens de foudre*. Libreville : ODEM.

# Le Liban :
# un modèle pour l'édition francophone en Afrique

Christophe Ippolito (Georgia Institute of Technology)

---

**Abstract**

*In Africa, most books by African writers in French appear in the context of local African Francophone markets, rather than at a continental level. With globalization, there are now better tools to analyze these markets in terms of other markets located on other continents and contexts. This article, drawing on editorial experiences both in Lebanon and the United States as well as a study of three West African markets, will examine how successful practices in the Lebanese context and market have provided solutions adaptable to Francophone Africa, for example Senegal, Ivory Coast and Cameroon, where, in fact, some of these solutions have been implemented. The following issues will be reviewed: partnerships between local publishing companies and foreign publishers, newspapers, magazines and French-language Internet sites; sponsorship and the conditions for its success; the sharing of rights (for example, according to geographical areas); loans to help publishing companies as well as strategies for republishing culturally important works. In Lebanon, Patrimoine, a Dar An-Nahar collection characterized by an original editorial line, has helped define a cultural project which has allowed the development of local strategies of legitimation, the return of some writers to Lebanon, and the resurgence of new forms of literary renationalization and relocation.*

**Keywords**: identity; publishing; Africa; Lebanon; literature

**Mots Clés** : identité ; édition ; Afrique ; Liban ; littérature

Dans des pays comme le Sénégal, la Côte d'Ivoire et le Cameroun, l'édition en français se diversifie et se développe. Au Cameroun par exemple, on recense de nombreux éditeurs. Au-delà de CLE qu'on ne présente plus, sont présents Aceda, Afredit, Les Cahiers de l'Estuaire, Ifrikiya, Passerelle, les Presses universitaires de Yaoundé (PUY), Tropiques (pour la jeunesse), Lupeppo (pour la poésie), la SOPECAM. Au niveau continental, le mouvement initié dans la dernière décade du vingtième siècle (Pinhas 2012b : 48) est arrivé à maturité en 2010, mais il est toujours difficile de parler d'un développement réel ou suffisant de l'édition en Afrique francophone (Pinhas 2012a). On partait de très loin et la situation est toujours loin d'être satisfaisante ; à titre d'exemple, les livres édités en Afrique représentent moins de 1% des importations de livres en France, ce qui est d'autant plus grave que l'édition africaine francophone ayant des marchés restreints dépend fortement de l'exportation (Pinhas 2012b : 47). Quant à la situation en France, aujourd'hui l'édition française n'est plus dans une position de force dans un contexte où selon les chiffres du Syndicat national de l'édition le revenu net des éditeurs a baissé de 1,2% en 2012 et le secteur de la littérature stagne[1]. À cause de cela aussi, le verrou placé sur la production et la diffusion du livre francophone en Afrique est devenu moins solide.

La situation libanaise donne un exemple francophone récent de sortie de crise pour l'édition à une échelle nationale (la guerre

---

[1] Cependant ce secteur reste essentiel et il faut, par ailleurs, noter la « résistance » du livre en France par rapport aux autres biens culturels et à d'autres pays, une résistance qui se manifeste par exemple par la hausse (toutefois assez faible) d'une production toujours plus diverse, par le fait que les ouvrages en sciences sociales et humaines sont plus nombreux et par la bonne santé du roman contemporain et un certain développement de l'édition en ligne en France, atteignant maintenant 3% du revenu total du secteur (Syndicat national de l'édition 2013).

civile dura de 1975 à 1989) et nous proposons ici d'examiner ce qui dans l'expérience libanaise peut être appliqué avec profit à la situation de l'édition dans les pays francophones africains. Comme les littératures d'Afrique sub-saharienne francophone, les littératures arabo-francophones et en particulier la littérature arabo-francophone libanaise ont eu (et ont encore, mais dans une moindre mesure) des difficultés de production et de diffusion, localement et à l'exportation. Le constat des difficultés de l'édition en Afrique francophone a été fait maintes fois. Dans l'état actuel des choses et à la différence de ce qui arrive pour les pays africains anglophones, la règle générale est que les écrivains francophones doivent encore être publiés en France et notamment à Paris pour espérer une légitimité et le succès qui l'accompagne ; la logique du marché veut qu'un succès en France puisse entraîner un succès en Afrique, alors que le contraire est plus rarement vrai. Sur ce point comme sur d'autres les maisons d'édition d'Afrique francophones restent sur des échecs ; nombre de lecteurs africains qui n'ont pas accès à ces livres sont aussi perdants. Dès lors la culture africaine du livre semble encore prisonnière, dans le cas précis, d'un circuit néocolonial. S'en affranchir serait une démarche identitaire et politique nécessaire. Que faire ?

Rappelons la situation libanaise en quelques chiffres dans le moment de sortie de crise qu'a été la fin du millénaire, dix ans après la fin de la guerre civile, en l'an 2000 : quatre millions d'habitants (environ cinq aujourd'hui) dont 560 000 francophones et 800 000 « francisants », 590 000 apprenants de français première langue étrangère sur un total de 825 000 élèves de l'enseignement primaire et secondaire (soit 69,5% ; les chiffres sont de 1996-97 ; voir sur ce sujet Gouteyron 2000 : 23, 36) ; la coopération française post-mandataire sinon postcoloniale[2] est en 2000 plus attentive qu'avant la guerre civile à la diversité des populations et des croyances du pays, et on retrouve les mêmes préoccupations dans la coopération française en Afrique aujourd'hui. En 1985, seule année de référence pour des données fiables jusqu'à la fin de la guerre, le marché du livre touchait le fond. Le Liban était alors seulement dix-neuvième importateur de livres français en volume, derrière le Maroc (9ème), la Côte d'Ivoire (11ème) et le Sénégal (18ème) mais restait le treizième exportateur de livres en langue étrangère en France, Beyrouth étant un producteur majeur, même alors, de livres en arabe (Syndicat national de l'édition 1986 : 63). Quelques années après, en 1999, « le Liban se situe au deuxième rang des importateurs des pays arabes après le Maroc et au onzième rang pour l'ensemble du monde, avec une augmentation de 20,5% en 4 ans » (Gouteyron 2000 : 36 ; cité in Ippolito 2002 : 208). Sur 5 115 importateurs et libraires recensés par la Centrale de l'édition en 1998, 3% étaient au Proche-Orient (4% au Maghreb et 7% seulement en Afrique), les livres représentant 60% du chiffre d'affaires relevant du secteur scolaire et universitaire (Haut conseil de la francophonie 2001 : 471). Comment la sortie de crise s'est-elle faite ?

Pour ce qui est de l'aide publique et étrangère, on peut noter le rôle de la coopération française, par exemple dans l'événementiel : le Salon du livre français de Beyrouth qui se tient à la mission culturelle du centre-ville s'est développé, attirant jusqu'à 100 000 personnes en 2000 : « Le succès considérable de cette manifestation, y compris auprès des écrivains, témoigne de la vivacité de la francophonie au Liban et de la bonne santé des importations de livres » (Gouteyron 2000 : 36). La Braderie du livre du 22 au 30 juin 2002 a attiré 50 exposants commerciaux mais un public beaucoup plus limité. De

---

[2] Le Liban fut sous mandat français entre 1920 et 1943.

telles manifestations ont lieu dans plusieurs capitales africaines, ainsi pour les « 72 h du livre » de Conakry, mais ce n'est pas encore fait de façon systématique dans toutes les capitales politiques ou économiques de l'Afrique francophone. Cependant l'événementiel, quoique nécessaire, n'est certes pas l'élément décisif pour l'amélioration du secteur. Dans un entretien en juin 2002 (Ippolito 2002), les responsables du Bureau du livre français à Beyrouth soulignaient l'importance de l'aide à la diffusion et à la publication locales, ce que ce rapport du Sénat fait aussi :

> Dans le domaine du livre, une enveloppe budgétaire de 1,7MF (1999) permet au poste de développer une politique du Livre prenant en compte l'importance et la qualité de la francophonie dans ce pays. Cette politique s'articule principalement sur la diffusion du livre français, l'aide aux librairies locales, la formation aux métiers du livre et comporte un engagement particulier en faveur de l'édition libanaise en langues française et arabe dans le cadre du programme Georges Schéhadé de « Participation à la Publication Locale » (PAP), qui a permis la publication à Beyrouth de plus de 90 ouvrages français depuis 1990. (Gouteyron 2000 : 36)

Qu'en est-il des sciences sociales ? Le CERMOC, Centre d'études et de recherches sur le Moyen Orient contemporain, créé pendant la guerre en 1977, fait de nombreuses co-publications avec Karthala ou CNRS éditions, tandis que les presses de l'Université Saint Joseph, plus que celles des presses de l'Université libanaise et de l'Université Saint-Esprit à Kaslik, publient certains livres et périodiques en français, notamment avec l'aide du PAP. Les mêmes politiques ont les mêmes effets par exemple au Cameroun où la coopération française finance partiellement les publications en sciences sociales des PUY. Les États-Unis consentent également des fonds au développement de la publication des recherches universitaires en Afrique : le *Cooperative Acquisitions Program* (CAP) administré par la *African/Asian Acquisitions and Overseas Operations* de la *Library of Congress*, acquiert des périodiques et des monographies universitaires venant d'environ la moitié des pays africains et subventionne à hauteur de 20% ces mêmes périodiques et des monographies (venant cette fois d'un quart environ des pays africains). Quelques 31 grandes universités américaines, quelques instituts et quelques librairies importantes sont parties prenantes du projet (Dilevko & Gottlieb 2003 : 204).

D'autre part, il existe aussi au Liban des fondations privées libanaises qui aident à la publication en sciences sociales comme en littérature, telle la Fondation Tuéni, ou encore la Fondation Chiha qui a publié les œuvres de Michel Chiha, intellectuel libanais. Ceci existe aussi en Afrique francophone, mais pas suffisamment, et c'est l'une des options qu'une politique plus volontariste pourrait explorer. À Dakar, le CROA (Centre de Recherche d'Afrique de l'Ouest), aussi appelé WARC (West African Research Center) et situé près de l'université Cheikh Anta Diop et de nombreuses ambassades et organisations non-gouvernementales, abrite des fondations américaines comme la *Ford Foundation*, des centres comme le Centre de Recherche sur les Politiques Sociales (CREPOS) et est très fréquenté par les chercheurs, intellectuels et écrivains ; s'y tiennent notamment des séances de signatures autour de nouveaux ouvrages. Centres divers et universités collaborent dans un espace relativement réduit dans ce quartier de Dakar, comme au centre de Beyrouth et comme c'est aussi le cas près de l'université de Cocody à Abidjan, avec l'ENSEA (École Nationale Supérieure de Statistique et d'Économie appliquée et le CERAP (Centre d'Études et d'Action pour la Paix). Il existe ainsi des territoires et des réseaux plus propices à la circulation et au commerce des livres et on peut les aider à se renforcer. À un niveau international, l'Agence intergouvernementale de la francophonie (AIF) et l'Agence universitaire de la francophonie (AUF) au sein de l'Organisation internationale de la francophonie (OIF), sans toujours parvenir à donner un soutien décisif au secteur de l'édition, ont cependant bien œuvré pour les manuels scolaires et les CLAC, ou centres de lecture et d'animation culturelle en milieu rural (Gay 2006).

Cependant, même si les politiques publiques ont contribué à la sortie de crise, rien ne remplace l'initiative privée. Au Liban, deux libraires, Michel Choueiri et Nadim Tarazi, ont créé une Maison du livre, ce qui contribue à renforcer le réseau social autour du livre et sa consommation à Beyrouth, mais cela est loin d'être suffisant pour faire progresser le nombre des publications. Considérons l'exemple de Dar An-Nahar, une maison d'édition libanaise qui publie en arabe, en français et en anglais. Cette maison d'édition fait partie du groupe de presse An-Nahar, qui appartient à l'une des grandes familles du pays, la famille Tuéni, et qui publie le journal *An-Nahar*, le premier du pays pour sa diffusion et l'un des plus respectés du Moyen-Orient. Le lien entre journal et maison d'édition est certes aussi important en Afrique, ainsi dans le cas de *Présence Africaine*, *Éthiopiques* et *Abbia*. Citons aussi le journal *Patrimoine* publié entre 2000 et 2007 au Cameroun et dirigé par Marcelin Vounda qui est actuellement directeur de CLE. Il reste que le lien entre grand journal populaire et maison d'édition est moins courant. An-Nahar est aussi propriétaire du seul quotidien francophone libanais, *L'Orient-Le Jour*, dont les pages culturelles présentent souvent les livres francophones de la maison d'édition : des éditions de luxe, des classiques francophones, des livres d'histoire, d'art, quelques nouveaux romans. C'est un exemple d'intégration verticale et horizontale, avec des filiales médias et publicité ; ce type d'entreprise de médias comprenant une maison d'édition de qualité autour d'une équipe bien rodée est moins courant en Afrique francophone. À plus petite échelle, à Saint-Louis, les écrivains Felwine Sarr, Boubacar Boris Diop et Nafissatou Dia Diouf ont créé la maison d'édition Jimsaan, puis repris la librairie Athéna de Dakar ; ils veulent aussi rééditer des classiques. Dar An-Nahar, comme plusieurs maisons d'éditions africaines, publie parfois des ouvrages très bien reçus et vendus en France (ainsi *L'Occidentaliste* d'Hani Hammoud en 1997, qui renverse opportunément le mythe de l'Orient en mythe de l'Occident), n'oublie jamais de tenir compte de l'histoire contemporaine libanaise, avec un livre comme *Chiam* d'Alexandre Najjar en 2000 sur la prison du Sud-Liban où ont été enfermés tant de militants et de créateurs et fait beaucoup de coéditions, intégrant de cette façon le local et l'international : Evelyne Accad publie aussi bien en France[3] qu'aux États-Unis, mais son livre *Voyage en Cancer* (2000) est paru chez Dar An-Nahar et chez L'Harmattan. Chaque collaboration entre presses locales et étrangères nécessite une négociation financière, interculturelle ou autre ; souvent, par exemple, la production peut être faite dans un seul pays, des exemplaires peuvent être précommandés par des bibliothèques, des couvertures peuvent être modifiées pour tenir compte de publics différents dans des pays différents, des universitaires des deux pays considérés peuvent collaborer. Certains cabinets d'avocats pourraient conseiller les partenaires pour des sommes modiques ou payées par des sponsors. Certes, les collaborations internationales peuvent aussi présenter des difficultés interculturelles, politiques ou autres (Ippolito 2013 : 97). D'autre part, pour un auteur « Gallimard » comme l'est Georges Schehadé, les droits sont partagés entre zones géographiques et Dar An-Nahar peut donc le publier au Liban : excellente solution, qui devrait être appliquée dans nombre de pays africains pour de nombreux auteurs, éventuellement avec l'aide de sponsors privés pour racheter une partie des droits.

[3] Voir par exemple *Coquelicot du Massacre* (sur la guerre), publié chez L'Harmattan en 1998.

Chez Dar An-Nahar, la collection « Patrimoine » de l'éditeur rassemble des « classiques » francophones libanais ; cette collection a été conçue par son fondateur Ghassan Tuéni comme une mini-bibliothèque de la Pléiade francophone et libanaise, même si en fait elle est en différente sur bien des plans. Mais il y a aussi des ressemblances : elle retient des auteurs reconnus et consacrés, qui ont une place importante dans le champ littéraire libanais : des « classiques ». La collection « Patrimoine » compte huit auteurs[4], le père fondateur Chékri Ganem (1861-1929), cinq poètes – Émile Aboukheir (né en 1914), Fouad Abi Zeyd (1914-1958), Fouad Gabriel Naffah (1925-1983), Nadia Tuéni (1935-1983), Georges Schehadé (1905-1989) – et deux romancières : Laurice Schehadé (1912-2009), sœur du précédent, et Éveline Bustros (1878-1971). La collection, pas assez rentable, a été arrêtée en 2002. Elle représentait plutôt pour Dar An-Nahar un produit d'appel et de prestige, mais aussi une opportunité de faire mieux connaître les écrivains francophones libanais. Comme pour Jacques Schiffrin et la Bibliothèque de la Pléiade en 1931, il s'agissait aussi de constituer des éditions de référence d'auteurs importants. Ce n'est pas la première fois que l'idée de Schiffrin a inspiré un projet éditorial pour une littérature nationale. Il y a une *Biblioteca della Pléiade* en Italie et une collection nommée *Library of America* aux États-Unis. Depuis 1998, Dar An-Nahar publie aussi « Patrimoine Poche », où figurent les œuvres les plus connues des classiques considérés. C'est que comme le dit Ramy Zein, la « littérature [libanaise] veut qu'on s'intéresse à ses œuvres, non qu'on la célèbre pour des raisons extralittéraires » (Zein 1998 : 12). Certains auteurs contribuent à faire connaître la littérature libanaise en France comme au Liban : Amin Maalouf

---

[4] Pour une analyse de cette liste et des œuvres qui y figurent et une analyse plus complète de Dar An-Nahar faite lors d'un travail au siège de la société à Beyrouth en 2005 et poursuivie avec un entretien conduit en avril 2008 avec Farès Sassine (Smayra 2008), conseiller littéraire du groupe, voir Ippolito (2009).

est l'auteur du *Rocher de Tanios*, prix Goncourt 1993 et d'essais comme *Les Identités meurtrières* (1998), tous deux publiés chez Grasset et a été traduit en arabe à Dar An-Nahar.

La collection « Patrimoine » est un exemple de mécénat bien compris, dans la mesure où les activités d'édition francophone ne sont pas les plus rentables du groupe. Selon Farès Sassine, les livres, tirés à 3 000 exemplaires, n'ont pas rencontré un véritable succès ; cependant les rachats de droits ayant été peu onéreux pour des livres dont beaucoup étaient peu disponibles ou épuisés, les pertes ont été limitées. Et il ne s'agit pas vraiment, comme dans le cas de la collection française, d'une édition de luxe. Ces produits sont essentiels pour faire connaître la politique éditoriale d'une compagnie ; le mécénat est donc ici aussi une forme de marketing. Ce modèle pourrait tenter des compagnies privées en Afrique. Un marketing qui contribue intelligemment à la redéfinition identitaire des populations ou au moins de certains segments de ces populations a toutes les chances d'être bien reçu et, étant donné que pour chaque livre édité dans ces conditions l'effort financier est relativement limité, des petites et moyennes entreprises peuvent prendre part plus facilement à ce type de mécénat. Sinon, il existe des chefs d'entreprise qui pourraient choisir d'attacher leur propre nom à un mécénat de ce type, à un auteur reconnu par exemple, voire à un livre essentiel pour les pays dont ils sont citoyens. Dans le cas de Ghassan Tuéni (disparu en 2012), fondateur de Dar An-Nahar et de cette collection et propriétaire d'An-Nahar, sa fortune personnelle lui permettait de le faire, mais éditer de grands livres était aussi pour l'ancien député de Beyrouth et ambassadeur aux Nations-Unies une véritable passion.

La même chose peut être tentée en Afrique francophone. On peut adapter cette collection dans les différents domaines francophones subsahariens. En fait, cela a déjà été fait par CLE, qui a eu une collection de « classiques » africains. Mais si l'on voulait transposer le modèle de « Patrimoine » en Afrique francophone aujourd'hui, il serait utile de faire un classement des auteurs et de constituer une liste de classiques pour chaque pays africain francophone. En effet, adopter une stratégie globale à l'échelle de l'ensemble des pays francophones du continent pour « décoloniser » l'édition francophone africaine semble irréaliste et ne tient pas compte de la diversité que le colonialisme et le néo-colonialisme ont tenté de gommer. Adopter une stratégie à l'échelle d'un ensemble économique, la Communauté économique des États de l'Afrique de l'Ouest (CEDEAO) par exemple, dont l'intérêt est notamment de lier les domaines anglophones, francophones et lusophones, est possible, mais la portée culturelle de ces organisations est faible. À défaut d'autre chose donc, il faut revenir à l'espace national. Mais comment définir ces « classiques » ? Sainte-Beuve l'a fait :

> Un vrai classique, comme j'aimerais à l'entendre définir, c'est un auteur qui a enrichi l'esprit humain, qui en a réellement augmenté le trésor, qui lui a fait faire un pas de plus, qui a découvert quelque vérité morale non équivoque, ou ressaisi quelque passion éternelle dans ce cœur où tout semblait connu et exploré ; qui a rendu sa pensée, son observation ou son invention, sous une forme n'importe laquelle, mais grande et belle en soi ; qui a parlé à tous dans un style à lui et qui se trouve aussi celui de tout le monde, dans un style nouveau sans néologisme, nouveau et antique, aisément contemporain de tous les âges. (Thérive 1936 : 290)

Ces listes peuvent aussi servir à constituer des anthologies qui peuvent être utilisées dans le secondaire ou à l'université et sont donc assez bien vendues ; elles ont été nombreuses au Liban de 1981 à 2000, une période où la littérature francophone libanaise se redéfinissait : *Littérature libanaise de langue française* (1981), de Saher Khalat ; *Pérennité de la littérature libanaise d'expression française* (1993), d'Alexandre Najjar ; *Panorama de la poésie libanaise d'expression française* (1996), de Najwa

Aoun Anhoury ; *Dictionnaire de la littérature libanaise en langue française* (1998), de Ramy Zein ; et enfin *La Littérature francophone du Machrek, anthologie critique* (2000), édité par l'universitaire Katia Haddad.

Dans une perspective afrocentriste, Ali Mazrui et la Foire internationale du livre du Zimbabwe (*Zimbabwe International Book Fair*) ont créé en 2001 un concours pour élire les 100 meilleurs livres africains du vingtième siècle; la liste a été proclamée en 2002 au Ghana. Dans la catégorie « *Creative Writing* », voici les écrivains sénégalais qui ont produit des ouvrages qui font partie de cette liste : Mariama Bâ, Ken Bugul, Boubacar Boris Diop, Birago Diop, Cheikh Hamidou Kane, Djibril Tamsir Niane, Ousmane Sembène, Léopold Sédar Senghor, Aminata Sow Fall. Tous les auteurs précédents pourraient aussi avoir été membres d'une Académie régionale à l'échelle africaine. S'y ajoute dans la catégorie « *Scholarship/Non-Fiction* » dans laquelle figure Cheikh Anta Diop. Soit un pays quelconque et sa littérature nationale, avec tout ce que cette dernière expression comporte de frustrations et d'inexactitudes. Une littérature nationale, avec tout ce que cette dernière expression comporte de frustrations et d'inexactitudes, a une valeur non seulement marchande mais aussi identitaire. Cette littérature vaut de par les œuvres de ses écrivains reconnus internationalement et par certains écrivains moins reconnus qui ont contribué de près ou de loin à l'identité d'une région ou d'un pays.

À Raphaël Thierry qui s'enquérait au Salon du livre de Paris de 2013 des projets de quatre éditeurs, ceux-ci parlaient notamment d'un projet de collection de littérature générale centré sur les faits de société (« Yenian », c'est-à-dire « Regardons »), l'Institut français finançant les droits de cession d'un titre pour la collection et également d'une « exposition itinérante qui accompagnera le livre [*Côte d'Ivoire, on Va Où Là ?*] et qui le rapprochera du public » (Thierry 2013). Ces projets mêlent programme éditorial lié à l'identité culturelle d'un pays, aide étrangère et efforts originaux de diffusion. Partout, des projets existent, des blogs en ligne à l'addition de contenus sur des réseaux sociaux ou à la découverte de nouveaux talents. L'Afrique francophone déborde d'idées originales, mais elle peut aussi bénéficier de l'expérience des autres aires francophones et, en ce domaine, le Liban, qui a connu de grands succès en matière d'édition francophone, peut sans nul doute être de bon conseil. Parmi les solutions qui ont été présentées, certaines, comme les prêts à la publication, ne sont pas une nouveauté, mais il y a parfois un syndrome de l'attente du prêt qui fait repousser d'autres solutions. Parmi celles-ci, la création d'une collection sur le modèle de la Pléiade semble devoir être explorée dans chacun des pays d'Afrique francophone (certaines œuvres pouvant être publiées en ligne) et cette solution implique un classement des auteurs et œuvres dans les pays concernés. Aucune liste ne saurait être imposée de l'extérieur, car cette démarche volontariste, qui n'est ennemie ni des marchés ni des sponsors, serait d'abord une action culturelle identitaire.

## Ouvrages cités

Accad, Evelyne. 1998. *Coquelicot du Massacre*. Paris : L'Harmattan.

—— 2000. *Voyage en Cancer*. Paris/Beyrouth : L'Harmattan/Dar An-Nahar.

Aoun Anhoury, Najwa. 1996. *Panorama de la poésie libanaise d'expression française*. Beyrouth : Dar Al-Majani.

Dilevko, Juris & Gottlieb, Lisa. 2003. « Book Titles Published in Africa Held by North American University Research Libraries and Review Sources for African-Published Books ». *Library & Information Science Research*, 25 : 177-206.

Éditions Dar An-Nahar. 2004. *Catalogue 2004. Éditions Dar An-Nahar*. Beyrouth : Dar An-Nahar.

Gay, Henri. 2006. « Luc Pinhas. Éditer dans l'espace francophone ». *Bulletin des bibliothèques de France*, 3 (http://bbf.enssib.fr/consulter /bbf-2006-03-0129-011. ISSN 1292-8399; accédé le 20 juillet 2014).

Gouteyron, Adrien *et al.* 2000. *Rapport d'information fait au nom de la Commission des affaires culturelles à la suite d'une mission d'information sur les relations culturelles, scientifiques et techniques de la France avec le Liban, la Syrie et la Jordanie*. Paris : Sénat (Les rapports du Sénat, N° 52). (http://www.senat.fr/rap/r00-052/r00-0521.pdf; accédé le 20 juillet 2014).

Haddad, Katia (Éd.) 2000. *La Littérature francophone du Machrek : anthologie critique*. Beyrouth : Presses de l'Université Saint Joseph.

Hammoud, Hani. 1997. *L'Occidentaliste*. Beyrouth : Dar An-Nahar.

Haut Conseil de la Francophonie. 2001. *État de la francophonie dans le monde. Données 1999-2000 et 6 études inédites*. Paris : La Documentation française.

Ippolito, Christophe. 2002. « Entretien avec les responsables du Bureau du livre français à Beyrouth ». Beyrouth, 20 juin.

—— 2004-2005. « Discours francophones et enjeux critiques dans le champ libanais ». In : Ndiaye, Christiane (Dir.), *Palabres*, 5.2 (Questions de réception des littératures francophones) : 207-215.

—— 2009. « La collection "Patrimoine" de Dar An-Nahar : Une bibliothèque de la Pléiade libano-francophone ». *Contemporary French and Francophone Studies : Sites*, 13-3 : 331-338.

—— 2013. « De Beyrouth à New York : traduction, politique, marketing ». In : Schwerter, Stéphanie & Dick, Jennifer K. (Dir.). *Traduire - transmettre ou trahir. Réflexions sur la traduction en sciences humaines*. Paris : Éditions de la Maison des sciences de l'homme. 87-100.

Khalat, Saher. 1981. *Littérature libanaise de langue française*. Ottawa : Naaman.

Maalouf, Amin. 1993. *Le Rocher de Tanios*. Paris : Grasset.

—— 1998. *Les Identités meurtrières*. Paris : Grasset.

Najjar, Alexandre. 1993. *Pérennité de la littérature libanaise d'expression française*. Beyrouth : Anthologie/ACCL.

—— 2000. *Chiam*. Beyrouth : Dar An-Nahar.

Pinhas, Luc. 2012a. « L'édition en Afrique francophone : un essor contrarié ». *Afrique contemporaine*, 241 : 120-21.

—— 2012b. « La difficile diffusion en France de l'édition francophone ». *Bulletin des bibliothèques de France*, 6 : 47-50.

Smayra, Liliane. 2008. « Entretien avec Farès Sassine ». Beyrouth, 18 avril.

Syndicat national de l'édition. 1986. *Le Commerce extérieur du livre pour l'année 1985*. Paris : Éditions du Cercle de la Librairie.

—— 2013. « Dossiers et enjeux : Économie ». (http://www.sne.fr/dossiers-et-enjeux/economie.html; accédé le 20 juillet 2014).

Thierry, Raphaël. 2013. « La Côte d'Ivoire au 33e Salon du Livre de Paris (deuxième partie) : de l'édition ivoirienne aux lecteurs du monde entier ». *Africultures*, 3 juin (http://www.africultures.com/php/?nav=article&no=11574; accédé le 20 juillet 2014).

Thérive, André (Éd.) 1936. *Choisir les meilleurs textes : Sainte-Beuve*. Paris : Desclée de Brouwer.

Zein, Ramy. 1998. *Dictionnaire de la littérature libanaise en langue française*. Paris : L'Harmattan.

# Le livre en Afrique francophone : nouvelles perspectives éditoriales

Emmanuel K. Kayembe (Université du Botswana)

**Abstract**

*This article examines the dynamics of relocation that characterize the economy of the African book within the African francophone literary field, especially since 1990. It shows that there is a history of publishing in Africa – fragmented indeed, but real – far from all the myths that represent the continent as an editorial desert. It builds on much existing data that allow us to appreciate the full measure of progress made since the time when missionaries and scholars took the initiative of opening the first publishing houses. It emphasizes the awakening of a new consciousness of editorial issues, which are closely correlated with some of the major problems of the African literary field.*

**Keywords**: institution of literature; literary field; African publishing

**Mots Clés** : institution de la littérature ; champ littéraire ; édition africaine

L'Afrique n'a jamais été un désert éditorial. Cette réalité a été confortée récemment par un certain nombre d'initiatives, d'actes et de publications qui ont remis les pendules à l'heure. La naissance de nouvelles maisons d'édition dynamiques semble épouser les contours d'une nouvelle idéologie, résumée par ces mots lapidaires mais significatifs de Jean-Pierre Leguéré : « concevoir, produire et diffuser des livres faits par les africains et pour les africains [*sic*] » (Leguéré 2013). Une imagerie d'Épinal est en train de s'effacer pour laisser la place à des faits concrets. En ce sens, la création en 1991, à l'instigation de l'Organisation internationale de la francophonie, du Centre Africain de Formation à l'Édition et à la Diffusion (CAFED) est à elle seule un symbole. En outre, nombre de préjugés relatifs à l'édition en Afrique n'ont plus cours, depuis la publication de l'ouvrage de Hans Zell sur l'édition en Afrique, *Publishing, Books and Reading in Sub-Saharan Africa* (2008). Qu'en est-il de l'édition littéraire en Afrique francophone aujourd'hui ? Quelles sont les stratégies éditoriales utilisées par les différents acteurs pour réduire l'extraversion du circuit de production du livre africain et en relocaliser l'industrie sur le continent noir et, du coup, consolider tant soit peu l'autonomie du champ littéraire africain ? C'est à ces différentes questions que tentera de répondre cette étude.

## Se déprendre des clichés commodes

Le concept d'édition africaine francophone autonome vient de loin. Il émerge à la faveur de la remise en question des modèles bibliologiques colonial et néocolonial, qui, pendant des décennies, ont consacré une dépendance quasi totale du continent noir vis-à-vis des instances culturelles parisiennes. Il importe de rappeler que cette dépendance prend naissance au travers de l'imposition du français comme langue de l'administration et de l'école et se maintient par le biais d'une « politique d'alphabétisation très réduite » (Estivals 1980 : 61). Ce dernier dispositif, de loin le plus nuisible, concourt à l'apparition d'une classe urbaine minoritaire de lettrés africains, privilégiés par rapport aux masses paysannes, qui restent à l'écart des grands enjeux liés à la circulation des savoirs. L'on sait qu'aux alentours de la période des indépendances, le nombre de lettrés africains était à compter sur le bout des doigts dans la plupart des pays africains francophones :

> En 1957, quelques années avant l'indépendance, on comptait 30 Ivoiriens possédant le baccalauréat. Il n'y avait pas d'université, à l'exception du Centre d'enseignement supérieur de Dakar fondé en 1950. Comme l'écrit F. Lalande-Isnard « l'agrégé Senghor reste un cas unique jusqu'en 1955 ». (*Ibid.*)

La situation n'est pas différente au Congo belge, par exemple, qui, à la même période, ne possède presque pas de cadres, hormis le cas de Thomas Kanza, auteur de *Sans rancune* (1965), et de quelques autres Congolais formés par les soins des missionnaires catholiques. La stratégie du colonisateur consiste alors à « restreindre un éventuel développement économique de l'édition et de la distribution locale des livres et confier cette mission aux entreprises métropolitaines. De ce fait, on évitera la promotion des langues et des littératures africaines » (Estivals 1980 : 62). La question linguistique reste donc au centre d'une dépendance culturelle qui est loin d'avoir disparu par la suite, au moment où l'Afrique se constitue en nations « indépendantes ». En effet, mis à part les lecteurs d'origine européenne, le livre n'intéresse qu'un nombre insignifiant d'autochtones ayant été initiés aux arcanes de la lecture et de l'écriture en langue française. Celle-ci n'en acquiert que plus de prestige, puisque considérée finalement par les Africains eux-mêmes comme un ferment d'unité nationale, une solution inespérée au soi-disant babélisme inhérent à la multiplicité d'ethnies et d'idiomes. Privé de consommateurs pour ainsi dire naturels, le marché du livre africain se trouve plus que jamais empêtré dans un schéma bibliologique fondé sur les intérêts économiques et culturels de la France. Celle-ci conserve le monopole de la production et de la distribution des livres et n'encourage pas du tout la création nationale d'industries typographiques et éditoriales locales (*Ibid.* : 65). Le problème se pose ainsi en termes de lectorat et d'infrastructure matérielle. L'économie du livre échappe aux réalités nationales et s'abîme en un long processus d'extraversion : affaiblie par des manœuvres politiques néocoloniales, l'Afrique ne représente plus qu'un espace de consommation problématique, dont les enjeux et les objectifs sont définis ailleurs. La création des centres culturels français, notamment, accentue, en dépit de certains bienfaits partiels, ce processus de recolonisation culturelle en éloignant davantage les décideurs africains d'une perspective autonome de la production culturelle. L'approvisionnement en ouvrages se fait essentiellement par la voie aléatoire de *dons* relevant du bon-vouloir de la coopération culturelle française, ce qui, entre autres, achève d'inhiber tout sens autonome de gestion bibliothéconomique et de lier le sort du marché du livre africain au centre franco-africain.

Dès lors, il n'est pas exagéré de considérer la centralisation de l'édition africaine à Paris comme l'effet négatif d'une certaine forme de néocolonialisme culturel. En effet, même si la capitale de l'Hexagone a porté sur les fonts baptismaux nombre d'écrivains africains qui, aujourd'hui, sont visibles sur la scène littéraire internationale, il n'en reste pas moins vrai qu'elle conforte une dépendance qui n'arrange pas les affaires culturelles africaines. Et l'on ne pourrait pas s'interdire de voir en Paris non point seulement, comme le voudrait une certaine tradition empreinte de naïveté, la capitale de la liberté d'expression, mais également un creuset actif de préjugés qui figent la vie et les actes des hommes en Afrique. En effet, au mépris de toute référence statistique concrète, un certain nombre de clichés produits dans les cercles culturels parisiens, dont celui de l'analphabétisme africain, tendent à présenter le continent noir comme un immense bestiaire constitué d'illettrés et situé en dehors du temps. Les enquêtes mondiales en matière d'alphabétisation, menées par l'Unesco en l'occurrence, attestent plutôt d'un progrès relativement encourageant en Afrique. Pour ne prendre que quelques exemples récents, l'Algérie conserve un taux d'alphabétisation stable de 2003 à 2010 (de 72,6% à 70%), le Burundi passe d'un taux de 9,95% en 2003 à celui de 67,2% en

2010, le Cameroun d'un coefficient de 51,36% en 2003 à celui de 70,7% en 2010, la Centrafrique donne de l'impulsion à son faible index de 2003, soit 42,74%, qui augmente de plus de 10% en 2010, le Congo Brazzaville affiche un résultat significatif de 92,1% en 2007, qui contraste avec son profil bas de 2003 (53,32%), la Côte d'Ivoire totalise un taux de 56,2% en 2010, alors qu'elle ne comptait que 44,92% d'instruits en 2003, le Gabon occupe une place de choix avec 83,67% d'alphabétisés en 2003 contre 88,4% en 2010, le Rwanda connaît une croissance scolaire spectaculaire en 2010 (71,1%), puisque sa population n'était scolarisée qu'à proportion de 18,50% en 2003, etc. (Statistiques mondiales 2014).

L'on remarque là des indices lectoraux plutôt prometteurs, même si quelques pays, notamment la Guinée Conakry, le Mali, le Niger, etc., gardent des pourcentages de scolarisation relativement faibles sur la période qui va de 2003 à 2010. Aussi n'est-il plus de bon ton, dans l'état actuel de l'économie du livre en Afrique, de recourir au prétexte d'illettrisme, ressassé depuis plus de cinquante ans, et d'ignorer de la sorte les efforts remarquables qui ont été accomplis dans le secteur surtout depuis 1990 et qui ont fait apparaître ce qu'on appelle déjà, d'une expression toute suggestive, un « lectorat très demandeur » (Thierry 2012).

Il faudrait donc aujourd'hui commencer par se déprendre d'un certain nombre de stéréotypes éculés, aux relents néo-colonialistes, qui empêchent d'examiner à froid la question de la circulation des biens symboliques en Afrique. En effet, affirmer que le continent noir détient le record de l'analphabétisme dans le monde, soutenir qu'il est constitué de jeunes États en prise avec des problèmes élémentaires et où le livre est un luxe, ne signifie rien de concret aujourd'hui. L'Afrique possède bel et bien une tradition éditoriale, controversée certes, mais réelle, vivante, faite de péripéties inégales, susceptibles de révéler un dynamisme culturel incontestable. Des maisons d'édition fondées à l'instigation des missionnaires européens à l'entreprenariat éditorial actuel, en passant par les initiatives d'universitaires soucieux de promouvoir la chose littéraire, la production littéraire africaine s'enracine désormais dans un champ intellectuel mû par des questions spécifiques, qui dessinent assez nettement les contours d'une quête d'autonomie. « Lisez africain – Lisez CLE » : cette devise du Centre de Littérature Évangélique de Yaoundé, qui ne doit en aucun cas être considérée comme un simple slogan, offre un raccourci suggestif des objectifs que se sont assignés la plupart des maisons d'édition africaines domiciliées sur le continent. On la retrouve par exemple, reprise dans le cadre d'un management plus concerté, sur le fronton de l'écurie EDICOM (Édition Distribution Communication Multimédia), créée à Abidjan en 1994, et qui « s'est fixé comme mission de "penser" autrement le livre en Afrique et de proposer des ouvrages à des prix correspondants au réel pouvoir d'achat de la population afin d'encourager la lecture et la culture générale » (EDICOM 1994). C'est là l'expression concrète d'un effort de relocalisation de l'institution de la littérature africaine, qui, naguère, souffrait d'une extraversion trop criante.

En effet, il y a lieu aujourd'hui de mesurer avec précision ce que l'on peut considérer comme les défis propres à la *République des lettres* africaines, loin des « lumières de Paris ». La documentation abonde en ce sens, même si, faute de place, l'on ne peut citer ici que les travaux les plus récents concernant les nouveaux procédés éditoriaux africains francophones, évalués à l'échelle nationale ou continentale : l'enquête de l'Association pour le Développement et l'Éducation en Afrique (ADEA) intitulée *Pour le développement du commerce du livre à travers l'Afrique. Une étude des barrières actuelles et des possibilités futures* (2002), l'ouvrage de Marie Agathe Amoikon-

Fauquembergue publié par l'OIF et intitulé *Enjeux économiques et financiers du secteur du livre en Côte d'Ivoire* (2003), le livre de Luc Pinhas titré *Éditer dans l'espace francophone. Législation, diffusion, distribution et commercialisation du livre* (2005), *La Chaîne du livre en Afrique noire francophone* (2006), monographie collective dirigée par Eddie Tambwe, *L'Édition du livre au Burkina Faso* (2007) d'Armand Joseph Kabou, *Le Livre en Côte d'Ivoire* (2007) d'Omar Sylla, etc. On pourra également consulté *EditAfrica* (www.editafrica.com), le site de Raphaël Thierry : le chercheur pressé ne manquera pas d'y trouver de précieux condensés de l'« actualité de l'édition et du livre en Afrique », phénomène désormais complexe, qui témoigne d'un nouveau dynamisme, celui de faire du continent noir un lieu indépendant de production culturelle. Les problèmes du lectorat, de la distribution et des droits d'auteur se recentrent davantage sur l'Afrique et s'ouvrent sur des clairières plus intéressantes. En effet, la réflexion critique se focalise sur les questions cruciales du moment, à savoir la possibilité de rentabiliser les publications numériques d'œuvres fictionnelles et leur distribution en ligne, l'importance des éditeurs nationaux et de la promotion des littératures nationales, le succès récolté par certaines maisons d'édition africaines, telles les Éditions Princes du Sahel, dont les collections proposent parfois à des publics ciblés des romans apparentés au genre « feuilleton », la non-existence des littératures véritablement nationales et l'exil dramatique des écrivains, la question de la propriété intellectuelle et le piratage des œuvres, l'usage du Kindle et ses conséquences lectorales, etc. Néanmoins, il faudrait noter que la matière est devenue plutôt abondante et qu'elle requiert, pour plus de profondeur, des études circonscrites aux particularités nationales. C'est en ce sens qu'il convient de souligner l'importance de la thèse de Raphaël Thierry sur l'édition littéraire au Cameroun, *Le Marché du livre africain et ses dynamiques littéraires. Le Cas du Cameroun* (2013).

**De l'amateurisme au professionnalisme, de la dispersion à la cohérence**

La configuration actuelle des enjeux éditoriaux en Afrique révèle des indices évidents de maturité qui manquaient aux premières ébauches de production culturelle, dans le cadre des « missions » ou des effervescences universitaires des années 1960-1970. En ce sens, il y a lieu de saluer les différentes initiatives prises par l'Organisation internationale de la francophonie en vue de faire du travail d'éditeur en Afrique un véritable métier. Le Centre Africain de Formation à l'Édition et à la Diffusion, dont le siège se trouve à Tunis et qui est une émanation de l'OIF, constitue un « signe des temps ». En effet, l'on sait que la fragilité des maisons d'édition africaines, leurs structures souvent éphémères étaient jusqu'ici liées, entre autres, au manque de formation des différents animateurs. Aussi est-ce à bon droit que Pius Ngandu Nkashama, qui est non seulement écrivain réputé mais aussi fin connaisseur des structures de production littéraire africaines, qualifie ces premières tentatives d'« édition de la pensée [se déroulant] avec des gestes brouillons qui ressemblent étrangement à un suicide intellectuel, sinon à un amateurisme de mauvais aloi » (1997 : 83). Cependant, ce constat amer ne peut nullement annihiler de véritables moments de réussite, comme lorsque, parlant des éditions du Mont Noir, Robert Cornevin, par exemple, a eu ces mots éloquents : « ces éditions sans véritable équivalent dans le reste de l'Afrique sauf peut-être les éditions C.L .E. de Yaoundé et les N.E.A (Nouvelles Éditions Africaines) de Dakar font le plus grand honneur aux élites zaïroises et à leur dynamisme » (Cornevin 1974 : 235). Aujourd'hui, l'on peut encore relever l'efficacité d'un certain nombre de maisons d'édition qui s'occupent de la promotion de la littérature, dans une perspective professionnaliste forçant parfois le respect. Que l'on pense, entre autres, aux Presses Universitaires d'Afrique fondées à Yaoundé en 1995 et dont 55% de la production est consacrée à la littérature, à Donniya, aux éditions La Sahélienne, créées en 1992 à Bamako, au Mali, à l'initiative d'Ismaïla Samba Traoré, et qui ont donné de l'impulsion à la fois à la littérature en langues nationales et à la littérature francophone, au Fennec au Maroc, à Yanbow Al Kitab, fondée également au Maroc en 1995 et qui possède une collection intéressante de littérature consacrée à la jeunesse, la fameuse « Malika et Karim », etc. Ainsi, il n'y a pas que les pays francophones économiquement nantis comme le Canada, la Suisse ou la Belgique qui offrent déjà des exemples d'entités éditoriales décentralisées réussies, mais également le continent noir :

> On peut et on doit s'émerveiller du travail accompli par de petites structures éditoriales indépendantes comme Elyzad ou Ceres (en Tunisie), Barzakh ou Chihab (en Algérie), Editions d'en bas ou Bernard Campiche (en Suisse), Ecosociété, Lux ou XYZ (au Canada), Jeunes Malgaches (à Madagascar), Luce Wilquin ou Maelström (en Belgique), Le Fennec ou Tarik (au Maroc), Dar Al-Farabi (au Liban), Donniya ou Jamana (au Mali), les Presses universitaires d'Afrique ou Ifrikya (au Cameroun), les NEA (au Sénégal), les NEI (en Côte d'Ivoire), etc. qui se sont développées et finissent par exister sans Paris. (Astier & Pécher 2014)

Ce qui est nouveau ici, c'est que l'on perçoit de plus en plus la volonté manifeste de relocaliser la production et la diffusion des œuvres littéraires, quitte à leur assurer une ouverture sur le monde par des processus de coédition. Pour ne prendre que quelques exemples entre mille, les romans d'Ismaïla Samba Traoré, *Chroniques de Ségou* (2007) et *Retours au Mali* (2012), coédités par La Sahélienne et L'Harmattan, diffusés à la fois à l'échelle continentale et internationale, le récit romanesque d'Henri Djombo, *Le Mort vivant* (2000), édité à Paris par Présence Africaine et à Brazzaville par Hemar, ou encore les nombreuses coéditions de l'écurie Le Fennec avec des éditeurs français. L'on se référera également au rapport éloquent établi par Sophie Godefroy et Vincent Bontoux et intitulé *Structures de diffusion et de distribution du livre africain en Afrique* (2011). En effet, quoique ce document ne soit pas définitif et qu'il attende d'être régulièrement mis à jour, il n'en présente pas moins un « état des lieux » appréciable de l'industrie du livre en Afrique, notamment à l'article concernant les coéditions. L'on est surpris d'y trouver la mention de nombreux contrats passés entre éditeurs africains, mais également entre maisons d'édition domiciliées en France et écuries établies sur le continent noir : par exemple, entre Jamana, société éditoriale malienne, et Papyrus, maison éditoriale sénégalaise, mais également entre Jamana et Sépia et Présence africaine à Paris, entre Édilis et Nouvelles Éditions Ivoiriennes, entre Ruisseaux d'Afrique et Bibliothèque Lecture Développement, Éburnie et Jeunes Malgaches, etc. Comme fait encore plus remarquable, l'on notera les initiatives de coédition d'œuvres littéraires de jeunesse, initiatives prises notamment par La Sahélienne en direction d'éditeurs sud-africains comme *New African Book*, installé au Cap, ou chinois comme *Zhe Zhiang*. Des problèmes financiers énormes demeurent évidemment, dans ces tractations contraignantes, où tout le monde est loin d'avoir trouvé son compte. Cependant, ce sont là les signes patents d'une nouvelle dynamique éditoriale, au-delà des frustrations immédiates. N'est-il pas significatif d'assister à la coédition en Afrique d'œuvres telles que *L'Ombre d'Imana* de Véronique Tadjo, *Kaveena* de Boubacar B. Diop, ou encore *Jazz et vin de palme* d'Emmanuel Dongala ?

Bien plus, certains écrivains se sont investis eux-mêmes dans de nouvelles activités éditoriales en vue de rendre plus disponibles sur le continent leurs propres œuvres et celles de leurs homologues. Tel est le cas notamment de Pius Ngandu Nkashama avec la relance des éditions Impala à Lubumbashi, Mukala Kadima-Nzuji, le fondateur des éditions Hemar à Brazzaville, ou Jean-Luc Raharimanana qui, pour rendre son œuvre accessible à Madagascar, s'est lancé dans une entreprise d'édition locale à compte d'auteur. Ce phénomène ne traduit-il pas le souci de stimuler la circulation des livres sur le marché africain et, du coup, la prise en compte des besoins réels du lectorat africain, longtemps relégué dans les marges d'une existence fantomatique ?

En effet, la concentration de l'édition africaine francophone à Paris a pour effet néfaste le renforcement de ce que Jean Richard appelle à bon droit « un processus d'expropriation culturelle » : « un certain nombre d'auteur-e-s africain-e-s sont publiés dans le Nord sans contreparties dans le Sud : peu de coéditions, de coproductions et/ou de ventes de droits ; à l'import les prix des livres sont inaccessibles au lectorat des pays du Sud » (Richard 2006). D'où, également, pour stimuler l'économie du livre en Afrique, cet effort – observé dans plusieurs pays – de promotion des langues et des cultures locales, qui tient compte des défis liés au multilinguisme dans les champs littéraires africains, suggérant par là comme des possibilités infinies de traduction, des langues minorisées aux langues véhiculaires internationales et vice-versa. Il y a lieu de voir là peut-être comme une manière d'échapper à cette fatalité naguère évoquée par Kwame Anthony Appiah « et qui voudrait que les travaux africains les mieux fondés du domaine des "humanités" se fassent hors du continent noir » (cité par Kayembe 2012 : 54). Il est donc légitime de saluer une nouvelle ère de la science du livre en Afrique avec la multiplication des formations aux métiers du livre, la disponibilité des fonds de promotion des industries culturelles, la création de nouvelles filières universitaires consacrées aux arts graphiques et à l'édition, etc. De nombreuses plateformes s'occupent désormais, de manière régulière, de l'initiation aux différents aspects de l'industrie du livre, notamment le Centre Africain de Formation à l'Édition et à la Diffusion (CAFED), l'Association Internationale des Libraires Francophones (AILF), La Joie par les livres, sans oublié l'École Supérieure des Sciences et Techniques de l'Information et de la Communication (ESSTIC) de Yaound qui comprend un département d'édition et d'arts graphiques, le Fonds de garantie pour le financement des industries culturelles qui, en plus de l'organisation des séminaires consacrés à la bibliothéconomie, met à la disposition des producteurs culturels une possibilité de soutien financier considérable, etc. Dans le même sens, il faudrait souligner la naissance d'une prise de conscience économique et juridique des éditeurs qui tendent à s'organiser en des ensembles plus vastes pour mieux défendre leurs intérêts et leurs droits. L'on sait aujourd'hui, par exemple, que l'édition des œuvres littéraires de jeunesse en Afrique a le vent en poupe, grâce notamment à la médiation de l'Association des éditeurs francophones au Sud du Sahara (Afrilivres), basée à Cotonou, au Bénin, et dont le site permet de prendre une juste mesure de la moisson. L'avenir économique du livre littéraire africain se trouve sans conteste du côté de la littérature destinée à la jeunesse, dont la production embrasse presque toute l'Afrique et ne cesse de croître. Témoins, ces titres à caractère didactique, publiés sur place, et qui viennent de tout le continent noir : Ahmed T. Cissé, *La Bataille du chaudron* (2001), Charles R. Lwanga, *Kanyana* (2002), Mahamadou S. Diakité, *Quatre semaines pour grandir* (2003), Siré Komara, *Mes racines* (2006), Yao A. Kan, *Mémoire d'enfant* (2008), Gilles Ragain (avec les illustrations d'Amidou Badji), *Kétama, l'enfant élue* (2009), Béatrice L. Gbado, *Barka, l'ami de Sayouba* (2011), Bénédicte Le Guérinel, *Yombé Le Guérinel* (2011), Jerry B. Vital, *Chienne de vie* (2013), etc.

L'on pourrait également citer des associations telles que Livr'Afrique, corporation née en 1996 et réunissant en son sein des partenaires motivés par la passion de la diffusion et de la vente de la littérature évangélique protestante, ou Scolibris, parrainé par Jean-Pierre Leguéré, un « spécialiste de l'édition africaine », engagé dans un combat ardu pour l'autonomie du marché du livre africain, et coauteur avec Georges Stern du *Manuel pratique d'édition pour l'Afrique francophone* (2002). Ainsi, la décennie 1990-2000 constitue désormais un nouveau point de départ pour une appréhension plus conséquente du dynamisme éditorial africain. Le foisonnement des associations et des institutions de promotion du livre ne justifie plus un certain « afro-pessimisme » facile qui a contribué jusqu'ici à masquer à peu de frais les véritables enjeux éditoriaux en Afrique. Que dire du travail de titan qu'abat l'Alliance internationales des éditeurs indépendants qui regroupe en son sein 85 maisons d'édition et corporations d'éditeurs issus de 45 pays, et dont le soutien aux institutions du sud n'est un secret pour personne ? La notion de « bibliodiversité » promue par les soins de l'Alliance permet de considérer aujourd'hui l'indépendance éditoriale africaine comme un défi urgent à relever et qui concerne l'humanité toute entière. Ainsi, il n'y a plus lieu de se plaindre d'un quelconque manque d'informations en matière de production du livre africain, puisque l'on est plutôt embarrassé par l'abondance et la diversité des données offertes à la recherche. Une revue comme *Takam Tikou*, que l'on peut consulter en ligne, est une mine inépuisable de renseignements non seulement sur la production, la diffusion des livres relevant de la littérature de jeunesse d'Afrique, de l'Océan indien, des Antilles et des pays arabes, mais également sur les formations aux métiers d'éditeur et de libraire, les sources de financement possible des projets livresques, etc. L'on a désormais le choix entre des institutions à vision macroscopique, qui situent leurs actions en faveur de l'édition africaine au niveau international (parmi lesquelles figurent Africultures, Sudplanete, Association des Libraires Francophones, Espace Afrique International, La Joie par les livres, Oiseau indigo, etc.), et des associations à vocation microscopique, qui essaient de cerner de près les « chaînes du livre » nationales au nombre desquelles se trouvent les organisations éditoriales nationales (Association des éditeurs de Côte d'Ivoire, Association nationale des auteurs, éditeurs et libraires de Madagascar, Association sénégalaise des éditeurs, Association des éditeurs du Cameroun et Réseau des éditeurs du Cameroun, Société des auteurs, gens de l'écrit et du savoir du Burkina Faso, etc.).

## Se faire éditer en Afrique : un enjeu pour la circulation des savoirs ?

La question qui se pose, à la faveur de ce nouvel essor de l'institution du livre en Afrique, est finalement la possibilité pour les hommes de lettres africains d'échapper aux puissantes tentacules de la domination littéraire qu'exerce Paris sur l'Afrique francophone. En effet, ce que met en lumière cette activité intense de relocalisation, c'est *in obliquo* l'urgence de poursuivre l'entreprise de décolonisation culturelle en Afrique, amorcée depuis les fameuses « indépendances » politiques. Il y a là une nécessité, celle de récuser, on l'a dit, l'idée naïve d'un centre franco-parisien soucieux de la promotion des littératures du monde sans aucune intention de discrimination ou d'hégémonie :

> Les structures culturelles de la France sont faites, prioritairement, et même exclusivement pour les Français de France. De plus en plus, d'ailleurs, ces structures tendent à devenir concentriques et tautologiquement étanches. Les Africains les croient intuitivement ouvertes et se considèrent dès lors comme ostracisés, uniquement parce que, longtemps, ils les avaient estimées, et ils avaient jugé qu'elles devaient être des circuits destinés à la diffusion et à la propagation des messages universels, dont les leurs propres. Plus tragiquement encore ces structures avaient fini par devenir des instances totalisantes, investies de toutes les significations, pour qu'elles accordent toute validité aux cultures étrangères. Une pensée n'est crédible que si elle a passé l'épreuve parisienne ! Et ne fallait-il pas traverser les fourches caudines des censeurs d'Occident pour authentifier un raisonnement, une théorie, une expérience, un principe ? (Ngandu Nkashama 1987 : 170)

Il faudrait donc en finir avec cette « fiction acceptée par tous les protagonistes du jeu : la fable d'un univers enchanté, royaume de la création pure, meilleur des mondes où s'accomplit dans la liberté et l'égalité le règne de l'universel littéraire » (Casanova 1999 : 25). Comment promouvoir l'économie africaine des biens symboliques, sinon en recourant à un sectarisme éclairé ? En effet, il n'est pas indifférent de rappeler ici ce que Jacques Dubois pense à propos des stratégies d'autonomie inaugurale de l'institution de la littérature, stratégies qu'il rapproche des pratiques d'indépendance habituellement mises en jeu par les « sectes religieuses » :

> À l'origine, le cénacle puise sa dynamique dans son intervention en tant que groupe d'oppositionnels, groupe qui est voué à se fermer sur lui-même pour célébrer son travail de création et les valeurs qu'il se donne. Cela a pour conséquence que, dans les débuts, le cénacle consomme lui-même ce qu'il produit et assure de l'intérieur sa reconnaissance. (Dubois 2005 : 134)

Ainsi, les acquis institutionnels actuels ont besoin d'être renforcés davantage. Ils permettraient de la sorte d'accélérer le processus encore limité de relocalisation éditoriale, c'est-à-dire de création d'un marché du livre assez autonome pour récompenser le travail des écrivains « de l'intérieur ». Par ailleurs, l'on connaît désormais l'importance de la production littéraire africaine dans le processus mondial de la circulation des savoirs. En effet, ce n'est pas tellement les pratiques scientifiques qui rendent l'Afrique présente au monde. C'est plutôt la littérature, puisque, loin de renvoyer simplement à des enjeux esthétiques, elle participe plus qu'ailleurs de toutes les formations discursives qui essaient d'expliquer le monde. En ce sens, relocaliser l'édition littéraire en Afrique, c'est ménager au continent noir la possibilité d'être perçu comme un pôle émetteur valable au « rendez-vous du donner et du recevoir ». L'Afrique, un maillon faible de la chaîne mondiale d'échanges culturels ?

Une telle image ne serait que l'effet pervers d'une conquête qui a conduit à une délocalisation culturelle sans précédent. L'Occident tend à devenir de plus en plus un lieu de stockage exclusif des parts importantes de tous les patrimoines du monde. À titre d'exemple, pour retrouver le *shongo*, ce jeu traditionnel africain enfantin, fait de figures géométriques qui n'ont pu livrer tout leur secret qu'à la lumière d'un principe mathématique emprunté à Leonhard Euler, jeu que le poète Matala M. Tshiakatumba revendique comme une part inaliénable de son héritage dans *Réveil dans un nid de flammes* (1969), le Congolais d'aujourd'hui devra être en mesure de prendre financièrement en charge les milliers de kilomètres qui le séparent de Tervuren. Il retrouvera alors l'objet produit par son peuple dans un contexte qui lui rappelle non point le génie créateur de ses pères, mais le goût amer d'une capitulation. De la même manière, c'est au terme d'une course éperdue vers les « lumières de Paris » que l'auteur francophone africain espère obtenir la reconnaissance, parfois au prix d'une réécriture radicale de son œuvre qui n'est plus de sa propre initiative :

> Le vrai problème de la littérature africaine de langue française et celui des écrivains reste prioritairement celui de la nécessité d'instaurer sur le Continent un vaste espace littéraire, viable et propice à la création. Faute d'un tel espace (carence ou insuffisance des structures d'édition et de diffusion, morosité de la vie culturelle, faiblesse ou déficience de l'activité critique, absence de distinctions littéraires notables…), l'écrivain, malgré lui, se retrouve dans une ambiguïté de situation qui l'amène à désirer implicitement son insertion dans la vie littéraire européenne, en l'occurrence la vie littéraire française et à attendre d'elle sa reconnaissance comme l'indice d'une ultime consécration. (Vignondé 1986 : 91)

La question du lieu de production culturelle ou d'édition est ainsi devenue centrale au sein des champs littéraires africains, loin de l'époque où l'institution des littératures francophones n'était envisagée que par rapport à « la conquête de l'édition française »

(Hage 2009). Elle permet parfois de mesurer l'étendue des abus économiques auxquels ne cessent d'être exposés les auteurs africains. Ce n'est pas sans raison que Ngandu Nkashama parle « des contrats nos respectés par [leurs] éditeurs qui [les] traitent parfois en minables quémandeurs des prébendes faciles, comme s'ils publiaient [leurs] livres par charité, presque par pitié » (1989 : 290). Au total, l'extraversion de l'institution de la littérature africaine a suscité de nombreuses prises de position, qui mettent en garde contre la production d'une littérature totalement orientée vers le bon vouloir des commanditaires financiers et des lobbies médiatiques européens. Aussi pourrait-on comprendre le cri de révolte d'un Mazisi Kunene (1972 : 27), fustigeant la production d'écrivains africains stéréotypés, essentiellement mus par la soif égoïste d'être accrédités en Europe, ou encore ces propos significatifs de Mongo Beti :

> Hors de Paris, dirait-on, point de salut ! Pour être publié, l'écrivain africain francophone n'a d'autre ressource que d'envoyer son manuscrit reproduit à x exemplaires aux éditeurs français, qu'il réside en Afrique ou en Europe. C'est déjà un déracinement. Si, d'aventure, il est accepté dans une maison d'édition, on orientera sa promotion (c'est-à-dire l'effort de diffusion de son ouvrage) non pas vers le lecteur africain qui, longtemps, n'exista pas, écrasé qu'il était par les dictatures, vers le public européen, français en particulier. Deuxième déracinement, cette fois métaphorique. Au troisième déracinement, c'est-à-dire lorsque, enfin publié, il faudra qu'il se plie au rituel des interviews, qu'il dise sa personnalité, se découvre, se déballe, l'écrivain francophone court grand risque de basculer dans le camp de ceux dont il cherche la faveur, souvent à tout prix. (Mongo Beti 1997 : 42)

L'on peut donc affirmer que le problème se pose également en termes de responsabilité de l'écrivain, de réception et de destination du livre. Publier hors du continent favorise les quêtes d'honneurs personnels et renforce la tendance à maintenir les peuples africains à l'écart de la connaissance des grands enjeux culturels du moment. Faudrait-il alors encourager cette sorte d'opération « retour au pays natal » qui s'effectue timidement en Afrique depuis un bon bout de temps et citer en exemple Mongo Beti et son retour tragique au Cameroun ? En effet, l'on a remarqué à partir des années 2000, c'est-à-dire un peu plus de six ans après la création par Mongo Beti de la Librairie des Peuples noirs à Yaoundé, la naissance effervescente d'un certain nombre de librairies, dont certaines ont pu développer plusieurs points de vente à travers des territoires nationaux précis. Il y a lieu de mentionner, dans le laps de temps qui va de 2002 à 2009, des structures déjà assez prometteuses comme Sim's à Yaoundé, Livre de Conakry, Mercury au Burkina Faso, Maison du Livre à Niamey, Le Bon Marché à Bamako, etc. La notion de « livre équitable », introduite dans le champ de production bibliographique par l'alliance des éditeurs indépendants, aurait-elle également partie liée avec cette nouvelle impulsion de l'économie du livre ? Peut-être. Quoiqu'il en soit, l'on ne peut qu'être optimiste au regard de cette nouvelle avancée, appuyée du reste par des initiatives du genre de celles qu'a prises l'Unesco, qui, entre autres, a fait de Port Harcourt au Nigeria la « capitale mondiale du livre » à partir d'avril 2014.

Au total, la relocation éditoriale se traduit par un ensemble de stratégies propres à permettre la création d'un marché africain du livre, capable d'offrir aux écrivains et aux chercheurs des instruments viables de diffusion et de commercialisation de leurs produits. Elle voudrait se fonder sur la coédition, la redynamisation des éditions nationales, la réhabilitation des institutions de la lecture, la création de nouvelles librairies, la formation d'agents compétents dans le domaine des métiers du livre, la mise en place d'espaces médiatiques autochtones, capables d'assurer la promotion des biens intellectuels et littéraires, l'implication financière des gouvernements africains, l'accroissement de la production du papier et l'équipement en matériels typographiques de bonne qualité, la bonne volonté des écrivains et le transfert des connaissances. La cession des droits sur des ouvrages publiés en France peut permettre à des éditeurs africains de les republier et de les revendre en Afrique à des prix conformes au pouvoir d'achat réel des populations locales. En effet, un livre produit en France est relativement accessible pour la classe moyenne française, alors qu'il est pratiquement hors-prix lorsqu'il est importé en Afrique. Pour en estimer la valeur, il faudrait ajouter au prix initial, qui pose déjà problème pour les bourses africaines, les frais de douane et de transport. En ce sens, même s'il n'est pas assez significatif, le travail accompli par les entreprises d'édition nationale permet également de produire tant soit peu des livres dont le prix tient compte des possibilités pécuniaires locales. À leur tour, les bibliothèques et les librairies n'ont cessé d'être mises à contribution, durant ces dernières décennies, pour plus d'accessibilité au livre. Il faudrait alors souhaiter que les instances gouvernementales africaines prennent en charge ne fût-ce que le transport des livres et qu'elles en suppriment les frais de douane. On attend également d'elles qu'elles mettent davantage la main à la pâte en budgétisant de manière conséquente leur apport aux activités éditoriales nationales. En effet, les appels d'offres de production d'ouvrages provenant de la Banque Mondiale, appels qui concernent essentiellement les manuels scolaires, ont tendance à revenir à des éditeurs du Nord, dont les offres de service sont habituellement soutenues par toutes les garanties d'usage.

Cependant, un point sombre demeure au beau milieu de cette perspective réjouissante : la coédition solidaire ne semble solidaire qu'en apparence. En effet, la répartition égale des pertes et des gains relatifs à la production du livre, entre éditeurs du Nord et éditeurs du Sud – clause financière apparemment équitable – désavantage d'emblée les partenaires africains, qui, en général, opèrent dans un cadre économique délabré. Il est, en ce sens, utopique de croire qu'ils puissent respecter scrupuleusement les délais d'exécution des contrats. Il ne paraît donc pas futile d'envisager à l'avenir des conflits juridiques fréquents entre les différentes parties (Reboul 2003). Un problème à la fois d'ordre économique, technique et juridique se pose donc, à propos de ce qui s'annonçait comme une révolution éditoriale. À long terme, le processus semble condamné à s'enfermer dans un cercle vicieux : l'on tend à revenir à Paris, alors qu'on prétendait ménager aux éditeurs du Sud la possibilité d'acquérir une certaine autonomie. En outre, loger à la même enseigne des régions aussi économiquement différentes que le groupe Afrique noire-Océan indien, le Maghreb, les Antilles et le Monde arabe a l'inconvénient de masquer des disparités parfois profondes, qui peuvent compromettre la notion même de « bibliodiversité ». Du moment que c'est le centre qui dicte sa loi économique, on voit mal comment les pays périphériques francophones deviendraient culturellement indépendants ! Ne faudrait-il pas alors encourager une coopération éditoriale Sud-Sud, qui se fonderait sur les capacités nationales des parties engagées dans la coédition, tout en incluant la possibilité d'accepter des contrats avec des maisons du Nord qui limiteraient leurs projets à l'Afrique, par exemple, en sacrifiant la logique de l'intérêt économique à tout prix et en tenant compte des spécificités africaines ? L'Alliance des éditeurs indépendants et quelques autres groupes de recherche, dont l'Association pour le développement de l'éducation en Afrique (ADEA) et l'*African Publishers Network* (APNET), œuvrent déjà dans la voie d'un développement autocentré du secteur du livre anglophone et francophone, basé sur une collaboration Sud-Sud. Cependant, il faudrait souhaiter à l'avenir la multiplication des stratégies éditoriales du même genre aux fins d'escompter un résultat plus conséquent et de contrer *Les Contradictions de la globalisation éditoriale* (Sapiro 2009).

Il devient ainsi évident que, sans des structures de production, de distribution et de consécration intelligemment pensées et assumées dans des contextes nationaux et intra-africains déterminés, il est illusoire de parler d'une internationalisation effective de la production intellectuelle et des littératures africaines. Ainsi, revenir à la problématique nationale et intra-africaine d'une réorganisation radicale des institutions des biens culturels sur le continent noir ne signifie nullement chercher à l'isoler du reste du monde, dans un repli stérile sur des valeurs muséifiées, élevées au rang de cultures impérissables. C'est plutôt prendre part au vaste mouvement mondial de défense de la véritable culture, qui est celle de la perpétuation de la liberté, dans des champs littéraires et intellectuels débarrassés du poids des lobbies financiers et des ukases politiques. Et ce sont des hommes de bonne volonté, pétris de culture démocratique et d'esprit d'indépendance, qui, avec des moyens parfois dérisoires, montrent les nouveaux chemins conduisant vers l'émancipation des peuples :

> Les livres participent à la construction de soi et du monde : ils doivent circuler librement. Pourtant, la logique financière imposée par la concentration des grands groupes éditoriaux entrave leur circulation. Des « éditeurs indépendants », farouchement attachés à leurs rêves et à leur liberté, se sont réunis pour inventer le pouvoir d'achat de chaque pays. Il devient alors accessible ici, là-bas, par terre, en rayon, dans les poches et les sacs des uns et des autres. (Richard 2006)

## Ouvrages cités

ADEA. 2002. *Pour le développement du commerce du livre à travers l'Afrique. Une étude des barrières actuelles et des possibilités futures.* Paris : Association pour le développement de l'éducation en Afrique.

Amoikon-Fauquembergue, Marie Agathe. 2003. *Enjeux économiques et financiers du secteur du livre en Côte d'Ivoire*. Paris : OIF.

Astier, Pierre & Pécher, Laure. 2014. « Mondialisons l'édition française ». *Le Monde*, 20 mars (http://www.lemonde.fr/idees/article/2014/03/20/mondialisons-l-edition-francaise_4346262_3232.html ; accédé le 20 juillet 2014).

Casanova, Pascale. 1999. *La République mondiale des lettres*. Paris : Seuil.

Cissé, Ahmed Tidjani. 2001. *La Bataille du chaudron*. Conakry : Ganndal.

Cornevin, Robert. 1974. « À propos de l'introduction à l'histoire de l'Afrique noire du R.P. Léopold Greindl ». *Likundoli.* 2.2 (*Enquêtes d'histoire zaïroise*) : 235-240.

Diakité, Mahamadou Sintédi. 2003. *Quatre semaines pour grandir.* Cotonou : Le Flamboyant.

Djombo, Henri. 2000. *Le Mort vivant.* Paris/Brazzaville : Présence Africaine/Hemar.

Dubois, Jacques. 2005. *L'Institution de la littérature.* Bruxelles : Labor.

EDICOM. 1994. *Le Livre en Afrique de l'Ouest : EDICOM S.A.* (http://aflit.arts.uwa.edu.au/EditEdicom.html ; accédé le 20 juillet 2014).

Estivals, Robert. 1980. « Le livre en Afrique noire francophone ». *Communications*, 46 : 60-82.

Gbado, Béatrice Lalinon. 2011. *Barka, l'ami de Sayouba.* Cotonou : Ruisseaux d'Afrique.

Godefroy, Sophie & Bontoux, Vincent. 2011. *Structures de diffusion et de distribution du livre africain en Afrique. Modèles de transport entre pays africains et vers l'international. Centre de distribution d'Afrilivres. État des lieux et recommandations* (http://www.institutfrancais.com/sites/default/files/Etude_diffusion_livre_africain.pdf ; accédé le 20 juillet 2014).

Hage, Julien. 2009. « Les Littératures francophones d'Afrique noire à la conquête de l'édition française (1914-1974) ». *Gradhiva*, 10 : 80-105 (http://gradhiva.revues.org/1523 ; accédé le 20 juillet 2014).

Kabou, Armand Joseph. 2007. *L'Édition du livre au Burkina Faso.* Paris : L'Harmattan.

Kan, Yao Akissi. 2008. *Mémoire d'enfant.* Abidjan : Éditions Livre Sud.

Kanza, Thomas. 1965. *Sans rancune.* London : Scotland. [2006. Paris : L'Harmattan].

Kayembe Kabemba, Emmanuel. 2012. *L'Œuvre de Pius Ngandu Nkashama dans le champ littéraire africain. Entre soumission et insurrection.* Saarbrücken : Presses Académiques Francophones.

Komara, Siré. 2006. *Mes racines.* Bamako : Cauris Livres.

Kunene, Mazisi. 1972. « Interview du poète zoulou Mazisi Kunene ». *L'Afrique littéraire et artistique*, 26 : 27-30.

Le Guérinel, Bénédicte. 2011. *Yombé Le Guérinel.* Abidjan : Les Classiques Ivoiriens.

Leguéré, Jean-Pierre & Stern, Georges. 2002. *Manuel pratique d'édition pour l'Afrique Francophone.* Tunis : CAFED.

Leguéré, Jean-Pierre. 2013. « Discours de Jean-Pierre Leguéré lors du vingtième anniversaire du Centre africain de formation à l'édition et à la diffusion le 14 mai 2013 ». (http://www.scolibris.fr/20-ans-du-cafedallocution-de-jean-pierre-leguere-scolibris-147.html. Accédé le 20 juillet 2014).

Lwanga, Charles Rukundo. 2002. *Kanyana*. Kigali : Bakame.

Mongo Beti. 1997. « L'Affaire Calixthe Beyala ou comment sortir du néocolonialisme en littérature ». *Palabres*, 1-3 & 4 (*Intertextualité et plagiat en littérature africaine*) : 39-48.

Ngandu Nkashama, Pius. 1987. *Vie et mœurs d'un primitif en Essonne Quatre-vingt-onze*. Paris : L'Harmattan.

—— 1989. *Écritures et discours littéraires. Études sur le roman africain*. Paris : L'Harmattan.

—— 1997. *Ruptures et écritures de violence. Études sur le roman et les littératures africaines*. Paris : L'Harmattan.

Pinhas, Luc. 2005. *Éditer dans l'espace francophone. Législation, diffusion, distribution et commercialisation du livre*. Paris : Alliance des éditeurs indépendants.

Ragain, Gilles. 2009. *Kétama, l'enfant élue*. Dakar : Bibliothèque Lecture Développement.

Reboul, Amande. 2003. « Éditer autrement – du Nord au Sud, qu'est-ce que la coédition ? ». *Africultures*, 57 : 134-142. (http://www.africultures.com/php/?nav=article&no=3207 ; accédé le 20 juillet 2014).

Richard, Jean. 2006. « Les Coéditions solidaires et le livre équitable ». *Contre-feu. Revue littéraire de Lekti*, 29 mai (http://www.lekti-ecriture.com/contrefeux/Les-coeditions-solidaires-et-le.html ; accédé le 20 juillet 2014).

Sapiro, Gisèle (Dir.). 2009. *Les Contradictions de la globalisation éditoriale*. Paris : Nouveau Monde.

Statistiques mondiales. 2014. « Taux d'alphabétisation en Afrique ». *www.statistiques-mondiales.com*, avril (http://www.statistiques-mondiales.com/alphabetisation_afrique.htm ; accédé le 20 juillet 2014).

Sylla, Omar. 2007. *Le Livre en Côte d'Ivoire*. Paris : L'Harmattan.

Tambwe, Eddie (Dir.). 2006. *La Chaîne du livre en Afrique noire francophone*. Paris : L'Harmattan.

Thierry, Raphaël. 2012. « Le Livre en Afrique francophone ». *Bulletin des bibliothèques de France*, 5 (http://bbf.enssib.fr/consulter/bbf-2012-05-0082-006 ; accédé le 20 juillet 2014).

—— 2013. *Le Marché du livre africain et ses dynamiques littéraires. Le cas du Cameroun*. Metz/Yaoundé : Université de Lorraine/Université de Yaoundé. [Thèse de doctorat en co-tutelle].

Tshiakatumba, Matala Mukadi. 1969. *Réveil dans un nid de flammes*. Paris : Seghers.

Vignondé, Jean-Norbert. 1986. « Littératures nationales ou cri pluriel ? ». *Notre Librairie*, 85 (*Littératures nationales 3. Histoire et identité*) : 85-91.

Vital, Jerry Be. 2013. *Chienne de vie*. Antananarivo : Jeunes Malgaches.
Zell, Hans. 2008. *Publishing, Books and Reading in Sub-Saharan Africa: A Critical Bibliography*. Lochcarron : Hans Zell Publishing.

# La littérature française n'existe pas. Penser la catégorie de littérature nationale aujourd'hui

Abdoulaye Imorou (Université de KwaZulu-Natal)

---

**Abstract**

*Francophone African publishing has reached a new threshold, with the introduction of new role-players and a marked increase in the number of publications. This article aims to update the notion of national literature in order to better understand this phenomenon and its consequences, in terms of the perceived competition between literary fields on the international scene. In order to do so, the article proposes two definitions of national literature. The first definition is based on the romanticist conception of nation and literature. The nation is according to this viewpoint an organic being animated by a specific essence and spirit; literature, driven by the national soul, is tasked to transmit its values. The second definition is sociological and puts forward the manner in which the literary act intervenes in a particular social space governed by its own rules and logics, and which depends on a certain number of institutions, among which publishing houses.*

**Keywords**: African national literatures; French literature; literary field; African publishing; national values; literary wealth

**Mots Clés** : littératures nationales africaines ; littérature française ; champ littéraire ; édition africaine ; valeurs nationales ; capital littéraire

*Avec des raisonnements comme cela,*
*Il n'y a plus qu'un écrivain en France, c'est Barrès.*
Catherine N'diaye

La publication en Afrique francophone même d'œuvres littéraires n'est pas en soi nouveau. Il suffit de penser à des auteurs comme Félix Couchoro ou encore Zamenga Batukezanga. Néanmoins cela restait, pour ainsi dire, confidentiel comparativement à ce qui se passe par exemple en France ou dans l'Afrique anglophone. C'est la raison pour laquelle la multiplication, ces dernières années, de maisons d'édition en Afrique francophone et la publication subséquente d'œuvres de plus en plus nombreuses ne peuvent laisser indifférent et constituent un défi pour la recherche et l'enseignement de la littérature africaine. Il ne nous est plus possible d'ignorer ce phénomène et de continuer à nous focaliser sur les classiques comme Senghor et Kourouma ou sur les géants du moment dont Alain Mabanckou et Léonora Miano. Néanmoins la prise en compte des auteurs publiés dans des maisons comme ODEM, CLE ou Ruisseaux d'Afrique nous confronte à la question de la catégorisation. À cet égard, apparaissent ça et là des formules comme « littérature continentale » ou « littérature locale ». Ces catégories me semblent problématiques dans la mesure où elles se définissent par opposition à celle de « littérature diasporique ». Or cette opposition est pleine de sous-entendus. Elle prend le risque de valider l'idée d'une littérature à deux vitesses :

> Le phénomène est porté à son paroxysme par des auteurs africains nés en France et qui ne savent rien de leurs pays d'origine, à part peut-être les images négatives qu'on en montre dans les médias. [...] Mais leurs textes, d'une indéniable qualité littéraire, sont de plus en plus différents de ceux publiés en Afrique par les écrivains de leur génération. (Diop 1999 : 11)

Pour ma part, j'aurais tendance à penser que Boubacar Boris Diop va un peu vite dans sa manière de considérer que les jeunes auteurs de la diaspora sont coupés des réalités africaines. Si leurs textes peuvent surprendre c'est davantage parce qu'ils entendent rompre avec une certaine image du continent et donner à voir « une nouvelle Afrique, une Afrique présente, mondialisée et cosmopolite » (Schüller 2011 : 139). De plus, contrairement à ce qu'affirme Boubacar Boris Diop, les écrivains restés sur place ne font pas autre chose. Lydie Moudileno, parlant de la collection « Adoras » des Nouvelles Éditions Ivoiriennes, démontre ainsi que les auteurs mettent en scène un monde transcontinental dans lequel on écoute autant Phil Collins que Youssou N'dour. « L'Abidjan d'Adoras » poursuit-elle, « ville d'ondes et de lumières, n'a plus rien à envier aux autres villes romantiques du monde » (Moudileno 2005 : 40). Aussi, me semble-t-il préférable de se garder d'opposer systématiquement les textes publiés en Afrique et ceux de la diaspora. Tous relèvent, au même titre, de la littérature africaine. Je n'en considère pas moins que si cette catégorie de littérature africaine reste, sur le plan théorique, efficace, elle demande, d'un point de vue pragmatique, à être aujourd'hui secondée par celle de littérature nationale. En effet, cette dernière est susceptible d'aider à corriger cette propension des africanistes à se pencher de manière presque exclusive sur les classiques et les géants. Cependant, de mon point de vue, le recours à cette catégorie de littérature nationale ne peut être utile qu'à condition de préférer à la définition romantique qui en est communément donnée une approche sociologique, c'est-à-dire de tenir davantage compte des logiques des différents champs littéraires en jeu. C'est la raison pour laquelle je rappelle, à partir de l'exemple de la littérature française, que la conception romantique de la littérature ne repose sur aucune base solide. Je démontre ensuite que cette conception qui lie littérature et valeurs nationales et valide, ce faisant, l'argument du pacte avec la nation a été plutôt efficace en termes de stratégies de légitimation et d'affirmation de l'autonomie de différents champs littéraires. Néanmoins, elle est, dans le contexte actuel, devenue contre-productive. J'attire, pour finir, l'attention sur les raisons qui rendent l'approche sociologique plus pertinente et sur les avantages que celle-ci présente lorsqu'il s'agit de pénétrer l'espace ouvert par l'édition africaine.

## À propos de la définition romantique de la littérature nationale

L'une des définitions les plus communes de la littérature nationale repose sur l'idée d'un pacte avec la nation. Elle trouve son origine dans la conception organiciste de la nation développée notamment par Herder et le romantisme. La nation est alors comprise comme un être animé par une essence et un esprit qui lui seraient propres : « La personnification de la nation qui en résulte fait d'une part de celle-ci l'un des principaux acteurs de l'histoire et, de l'autre, lui assigne des qualités intrinsèques, pour ainsi dire immuables » (Espagne & Werner 1994 : 8). Ces qualités, qui seraient présentes notamment dans la langue, se manifesteraient dans la culture. Elles informeraient ainsi la littérature qui à son tour serait chargée de les transmettre et de les développer. Il peut donc être permis d'avancer que, du point de vue romantique, la littérature est à la fois fille et mère des valeurs nationales.

La littérature africaine et à sa suite les littératures nationales de ce continent, lorsqu'elles ont cherché à se dire, ont repris ces principes sans, au préalable, en interroger les présupposés. Il leur aurait pourtant suffit de considérer un peu plus attentivement le cas de la littérature française – qui, il faut bien l'avouer, constitue la principale référence à partir de laquelle et contre laquelle elles se définissent – pour s'apercevoir que l'argument du pacte avec la nation ne résiste guère à l'analyse pour la simple raison que l'existence de valeurs spécifiquement françaises demande à être prouvée. Certes, la croyance selon laquelle les Français se distinguent du fait qu'ils constituent une communauté homogène animée par un ensemble de valeurs et cela sans solution de continuité de l'antiquité à nos jours est, bien souvent, admise comme allant de soi. Les héritages tantôt gréco-romains, tantôt francs, tantôt gaulois ainsi que le génie de la langue passent alors pour être les garants de ces valeurs.

Or, comme le note Ernest Renan, la vision que les Français ont de leur nation ne vaut qu'au prix de l'oubli de leur histoire : « L'oubli, et je dirai même l'erreur historique, sont un facteur essentiel de la création d'une nation, et c'est ainsi que le progrès des études historiques est souvent pour la nationalité un danger » (Tremblay 2010 : 37). Il poursuit en démontrant que la nation n'est le produit, ni d'une langue, ni d'une religion ni d'une race.

Contre le critère de la communauté de race, Ernest Renan rappelle comment le traité de Verdun a, en 843, abouti au partage de l'empire carolingien en trois royaumes arbitrairement délimités : « les auteurs du traité de Verdun, en traçant imperturbablement leurs deux grandes lignes du nord au sud, n'eurent pas le moindre souci de la race des gens qui se trouvaient à droite ou à gauche » (*Ibid.* : 42). Qui plus est, les ancêtres des Français sont loin de se limiter aux Gaulois et aux Francs. Ernest Renan parle, au contraire, d'une « fusion des populations » (*Ibid.* : 35) dans la mesure où les Burgondes, les Goths, les Lombards, les Normands sont tout autant allés de leurs contributions. L'auteur démontre donc que la France se constitue non sur la base d'une communauté de race et de valeurs mais d'une sorte de métissages dont les modalités sont fonction de rapports de force et de stratégies politiques. Cela explique, par exemple, pourquoi les Francs, pourtant minoritaires, parviennent à imposer leur nom mais pas leur langue (*Ibid.* : 36).

À la suite d'Ernest Renan, un certain nombre de chercheurs viennent s'attaquer aux mythes français à l'exemple de Laurent Avezou dans *Raconter la France. Histoire d'une histoire* (2008) et dans *100 questions sur les mythes de l'histoire de France* (2013). Parallèlement, d'ambitieux projets de recherche se proposent d'écrire une histoire moins romantique de ce pays (Clarini 2012). Ces initiatives constituent autant de « progrès des études historiques » à même de fragiliser l'idée de valeurs nationales spécifiquement françaises et immuables.

L'argument du génie de la langue n'est pas plus solide. Il suffit de revenir sur l'une des bibles des tenants de cette thèse pour s'en convaincre. En effet, il apparaît que le *Discours sur l'universalité de la langue française* démontre moins qu'il ne persuade. Gérard Dessons le souligne assez, le travail d'Antoine de Rivarol a surtout été de transformer :

> Par la force de son écriture, des opinions en vérités, participant à une idéologie linguistique sur laquelle s'est édifiée toute une politique des langues : la langue française est un idéal de clarté, elle entretient un lien naturel avec la logique de la pensée et se trouve dans un état de quasi perfection. (Dessons 2013)

En substance, Rivarol affirme que le génie de cette langue lui vient de sa clarté qui elle-même résulte de ce que l'ordre des mots est direct (sujet, verbe, complément) et suit, de ce fait, le mouvement naturel de la pensée. Ainsi le français serait la langue de la raison là où les autres resteraient liées à la passion et à l'obscurité : « Ce qui n'est pas clair n'est pas français ; ce qui n'est pas clair est encore anglais, italien, grec ou latin » (Rivarol 2013). Or, à supposer qu'ordre direct et clarté soient liés, la langue française est loin d'être la seule à en user. De plus, elle recourt, elle aussi, à de nombreuses occasions, à l'inversion. À un autre niveau, il convient de se rappeler que le *Discours* est écrit dans un contexte particulier. Il est une contribution au concours de l'Académie royale des Sciences et Belles Lettres de Berlin dont le sujet était : « Qu'est-ce qui a rendu la langue française universelle ? Pourquoi mérite-t-elle cette prérogative ? Est-il à présumer qu'elle la conserve ? ». Le travail de Rivarol obéissait à un double objectif : séduire l'Académie et donner l'avantage au français dans la concurrence que l'anglais commençait à lui livrer.

L'auteur y parvient avec succès pour plusieurs raisons. En premier lieu, il met son talent d'orateur et son sens de la formule à contribution : « Tout le monde a besoin de la France, quand l'Angleterre a besoin de tout le monde » ; « On ne gagne pas plus à ennuyer un Français qu'à divertir un Anglais ». Surtout, il est habile à situer son propos à la fois dans une tradition éprouvée et dans l'air du temps. *Discours sur l'universalité de la langue française* s'inscrit ainsi dans la lignée de textes comme *Défense et illustration de la langue française* de Joachim du Bellay. En outre, Antoine de Rivarol ne dit pas autre chose que ses contemporains. Les idées qu'il défend se retrouvent, à quelques nuances près, chez des auteurs comme Diderot ou Voltaire. Ce dernier n'affirme-t-il pas dans la préface à *Œdipe* que le « génie de notre langue est la clarté et l'élégance » (Voltaire 2014) ?

L'un dans l'autre, le *Discours* remporte le concours de l'Académie de Berlin et devient une ressource inestimable dans la concurrence politique et culturelle qui oppose la France aux autres nations. Dans le même mouvement, la croyance selon laquelle chaque peuple est différent de par ses valeurs nationales, elles-mêmes liées à la nature de la langue, ne s'impose que davantage :

> La différence de peuple à peuple n'est pas moins forte d'homme à homme. L'Anglais, sec et taciturne, joint à l'embarras et à la timidité de l'homme du Nord une impatience, un dégoût de toute chose, qui va souvent jusqu'à celui de la vie ; le Français a une saillie de gaieté qui

> ne l'abandonne pas, et, à quelque régime que leurs gouvernements les aient mis l'un et l'autre, ils n'ont jamais perdu cette première empreinte. (Rivarol 2013)

On le voit, l'examen critique des arguments de l'héritage culturel et du génie de la langue révèle que ces derniers ne sont, justement, que des arguments, c'est-à-dire des ressources discursives mobilisables dans des stratégies de légitimation de projets politiques et littéraires. La croyance en l'existence de valeurs spécifiquement françaises, de même que l'idée d'un pacte qui lierait littérature et nation françaises, relèvent donc du domaine du mythe.

Cependant, il ne suffit pas de dénoncer cet état de choses. Il faut encore tenir compte de ce que le mythe est performatif. En l'occurrence la vision romantique de la littérature, quand bien même rien ne la justifie, n'est pas sans informer les pratiques littéraires. De ce point de vue, si les littératures nationales comprises comme filles et mères de valeurs nationales spécifiques n'existent pas, les systèmes et les institutions qui entretiennent le mythe sont, en revanche, eux bien réels. Toute la question est alors de savoir quelles sont les conséquences sur le plan littéraire de l'usage qui est ainsi fait de l'argument des valeurs nationales.

## Des valeurs nationales comme ressources symboliques

La littérature française, la littérature africaine et les littératures nationales africaines mobilisent cet argument dans des contextes et, par conséquent, avec des résultats tout à fait différents.

Comme l'écrit Joseph Jurt dans « Le Champ littéraire entre le national et le transnational » (2009), la littérature française est habile à jouer à la fois de la prétention à l'universel et de la revendication nationale. Il faut pour comprendre ce double jeu, explique-t-il, se rappeler que le concept de littérature nationale n'apparait qu'au XIX$^{ème}$ siècle :

> À l'époque de l'humanisme (entre 1480 et 1535), s'est constituée une véritable *Respublica litteraria* qui transcendait aussi les frontières nationales. [...] La république des lettres se distinguait en outre par son universalisme dépassant les cloisonnements politiques des États-nations qui étaient en train de se constituer. Par leur double appartenance à une communauté universelle et à un État particulier, les lettres mettront en cause le principe de la fidélité unilatérale. La *Respublica litteraria* est une preuve, au moins pour des élites, qu'existait une communauté culturelle européenne avant que ne s'élabore le processus de la différenciation nationale. (Jurt 2009 : 201-202)

Bien que se reconnaissant dans un même héritage gréco-romain, les membres de cette communauté n'étaient pas moins en concurrence pour le rôle de leader politique et culturel. C'est dans ce contexte que la France, forte d'institutions mieux établies, parvient à occuper une position centrale. Joseph Jurt explique que les nationalismes européens vont, justement, se construire en réaction contre l'hégémonie française. Au modèle gréco-romain accusé de servir la politique de domination de l'aristocratie française, ils vont préférer les traditions populaires censées être porteuses d'âmes nationales plus authentiques. Sur le plan littéraire, cela se traduit par l'importance prise par les références aux contes, légendes et épopées. Or, la France va, suite à la révolution, expérimenter, sur le plan interne, un phénomène similaire :

> Avec le transfert de la souveraineté du monarque à la nation, la France était devenue l'avant-garde du mouvement national politique. Par la suite, il y eut en France également des tentatives de légitimer la nation des citoyens à travers un recours à un peuple originaire et de constituer une littérature nationale. La référence à une tradition romaine, au début de la Révolution française, se révéla à la longue obsolète à cause de la référence aristocratique à l'Antiquité. (*Ibid.* : 210)

L'accent qui sera mis sur le caractère national de la littérature française vise donc à entériner un changement d'orientation politique, à consommer le rejet du modèle aristocratique. Il importe toutefois, ici, de ne pas oublier que si Paris se réclame de valeurs nationales, elle se veut plus que jamais universelle :

> Si la France a suivi, lors de la constitution d'une littérature nationale, des exemples étrangers, des écrivains étrangers voyaient dans le champ littéraire français un modèle de liberté d'expression et d'autonomie, avec des instances de consécration et de diffusion spécifiques et une reconnaissance sociale élevée. La littérature française « nationalisée » acquit ainsi une nouvelle prééminence et partant une nouvelle prétention universaliste. La littérature étrangère (le roman russe, le théâtre scandinave) fut introduite en France notamment par l'avant-garde, mais conformément à la logique du champ interne. (*Ibid.* : 212)

De fait, le cas français a cela de particulier que le réflexe nationaliste intervient à un moment où Paris est déjà Paris, c'est-à-dire la capitale littéraire mondiale et celle d'une nation qui en impose sur le plan international.

Cette donnée est de première importance. Elle signifie que la littérature française nouvellement nationalisée n'est tenue ni d'acquérir son autonomie ni de travailler à prouver que la nation française existe belle et bien. Au contraire, c'est aux autres littératures qu'il appartient de se distinguer d'elle, d'affirmer leurs spécificités. Il en résulte que pour les écrivains français, il s'agit moins d'inscrire leur francité dans les œuvres que de démontrer que Paris n'a pas usurpé sa position. En conséquence, le processus de légitimation dans le champ littéraire français a davantage à voir avec des critères d'excellence – même si la question reste posée de savoir comment ces derniers sont définis et quelle est la part de l'arbitraire – qu'à la capacité de l'écrivain à prétendre rendre dans le texte l'odeur de la baguette, le chant du coq ou la forme du béret et à se dire inspiré par les mânes gauloises. Malgré la nationalisation, ce sont les critères littéraires qui priment.

La situation est tout autre en ce qui concerne la littérature africaine. Née en période coloniale, il lui faut s'acquitter d'au moins deux missions : s'émanciper du champ littéraire français, convaincre qu'il existe une nation africaine, le concept de nation prenant ici une dimension panafricaine (Mouralis 1987 : 272). Autant dire qu'il appartient à la littérature africaine de créer à la fois les conditions de son autonomie et de celle du continent.

Les écrivains en vue de remplir ce double objectif choisissent de miser sur l'argument des valeurs nationales et lancent, à cette occasion, la négritude. L'identité africaine et les valeurs qui selon ce concept lui sont attachées deviennent alors des ressources politiques et littéraires. C'est ainsi que, comme David N'goran le démontre dans *Le Champ littéraire africain*, les tenants de la négritude à l'instar de Léopold Sédar Senghor vont détourner à leur profit la croyance communément admise à l'époque en l'altérité foncière du Nègre et lui donner un sens positif. S'appuyant sur les travaux de sommités comme Frobenius, Delafosse ou encore Tempels, Senghor reprend à son compte la catégorie de Nègre et affirme que celui-ci est un être de la parole et qu'il est doté d'une force vitale qui exacerbe la perception des objets qui l'entourent. Dès lors, il développe une vision du monde qui lui est propre et qui est marquée par l'émotivité (N'goran 2009 : 167-169).

L'image ainsi véhiculée de l'Afrique présente, sur un plan stratégique et dans le contexte de la colonisation, de nombreux avantages. En premier lieu, elle convainc puisqu'elle profite de l'autorité des africanistes les mieux établis. Surtout, elle est l'occasion de réhabiliter ce continent en assurant qu'il dispose d'une approche du monde qui ne le cède en rien à celle de l'Occident. Elle laisse habilement entendre qu'il existe une communauté et partant une nation nègres ayant en partage une manière d'être. Elle nourrit, ce faisant, l'idée d'une culture nègre, de valeurs spécifiquement nègres. Elle permet de suggérer que seuls les Nègres sont habilités à tenir un discours sur cette culture : « la négritude s'affiche comme référence unique, voire incontournable de tout discours et/ou de toute "pensée africaine" » (*Ibid.* : 169). Elle pousse à conclure que le discours africain a son mode de fonctionnement et obéit à des règles qui lui sont propres.

La mobilisation de l'argument des valeurs nationales autorise ainsi la négritude à affirmer que la littérature africaine est viscéralement différente de la littérature française et à poser les bases d'un champ littéraire africain indépendant. La manière dont cet argument est parvenu à s'imposer est néanmoins à double tranchant. En effet, alors qu'en France malgré une instrumentalisation politique de la catégorie de littérature nationale le champ littéraire conserve son autonomie, les considérations politiques et identitaires viennent phagocyter le champ littéraire africain. Le succès de la stratégie mise en place par les tenants de la négritude est tel que la critique en vient à oublier que, de même que la francité, l'africanité n'est qu'un mythe. L'analyse littéraire manque de voir dans les motifs qui y renvoient – dont ceux de la tradition et de l'oralité (*Ibid.*) – de simples ressources littéraires et les interprète, le plus souvent, comme des références à l'Afrique réelle, des marqueurs d'une identité authentiquement africaine. Il en résulte, d'une part, que ce sont des critères identitaires et politiques qui, bien davantage que celui de l'excellence littéraire, décident de la légitimité dans le champ littéraire africain. D'autre part, le texte est souvent lu comme un document chargé de dire la réalité africaine et non comme une œuvre littéraire (Imorou 2014 : 109).

David N'goran dans *Les Illusions de l'africanité* (2012) attire l'attention sur les conséquences de cet état de choses. Il appelle à une lecture qui tienne davantage compte des logiques du champ littéraire et qui n'oublie pas, qu'en Afrique comme ailleurs, les valeurs nationales ne sont que des ressources symboliques. Il convient donc que l'analyse ne se laisse pas entièrement prendre dans les mythes qu'elles racontent. Il lui revient, au contraire, de proposer « une critique de la croyance » (N'goran 2012 : 23).

C'est dans le contexte de cette mise en garde contre le paradigme de l'africanité qu'il faut situer le désormais célèbre mot de Kossi Efoui, à savoir « la littérature africaine n'existe pas » (Douin 2002 : 16). Celui-ci a pu être compris comme l'expression d'un reniement des origines et le signe d'une aliénation à l'Occident ; comme s'il s'agissait pour cet écrivain d'affirmer que, contrairement à l'Occident, l'Afrique n'était pas capable de littérature et de rappeler, une fois de plus, à ce continent qu'il n'a rien inventé. Or, tout indique que Kossi Efoui entendait surtout appeler à invalider la définition romantique de la littérature africaine. Son cri signifiait, qu'en Afrique non plus, de littérature fille et mère de valeurs nationales, il n'en existe point et que l'ignorer revient à nuire au texte africain, c'est-à-dire à ne pas accorder à sa dimension littéraire l'attention qu'elle mérite :

> L'écrivain africain n'est pas salarié par le ministère du tourisme, il n'a pas mission d'exprimer l'âme authentique africaine ! Je suis contre ce type de complots, de récupérations, je n'aime pas entendre un critique sortir d'un spectacle de Sony Labou Tansi en disant que c'est « trop intellectuel » pour être du théâtre africain ! Ni entendre un autre affirmer que les auteurs africains font fausse route en s'inspirant d'Eschyle ou de Shakespeare ! Comprenons une fois pour toutes que nous n'avons pas de parole collective ! Nous ne devons allégeance à personne ! Méfions-nous des crispations identitaires, elles constituent un réservoir où puise la mondialisation ! La meilleure chose qui puisse arriver à la littérature africaine, c'est qu'on lui foute la paix avec l'Afrique ! (Douin 2002 : 16)

En définitive, si l'argument de l'africanité a pu servir les stratégies de légitimation de la littérature africaine, il constitue aujourd'hui un frein dans le processus d'autonomisation du champ littéraire africain qui peine à s'émanciper des champs politiques et identitaires.

La mobilisation des valeurs nationales se révèle davantage problématique dans le cadre des pays africains. Le fait est que les seules valeurs que ces pays peuvent brandir sont déjà mobilisées, sur le plan continental, par la littérature africaine. Elles ont par conséquent un pouvoir différenciant pratiquement nulle. La littérature africaine a pu tirer profit de la croyance en l'altérité fondamentale du Nègre pour dire sa différence d'avec la littérature française. Les littératures nationales africaines émergent, en revanche, dans un contexte où le discours dominant affirme que les Noirs sont partout les mêmes et partagent les mêmes valeurs et la même civilisation. Il en résulte, par exemple, que la littérature congolaise peut difficilement trouver des motifs sur lesquels miser en vue de se distinguer des littératures camerounaise, béninoise, sénégalaise… À cet égard, les tentatives à travers lesquelles ces littératures tentent, malgré tout, de dire leurs spécificités sont rarement convaincantes comme cela apparait dans les exemples qui suivent. À propos de la littérature congolaise, Jean-Baptiste Tati Loutard parle de la mise en scène de l'homme concret : « A l'exaltation de la race qui fut le fait des écrivains de la Négro-Renaissance et de la Négritude, nos écrivains préfèrent l'exaltation de l'homme congolais. C'est l'homme concret avec ses problèmes, qui les sollicite plutôt que le Nègre » (Chemain 1977a : 6). D'aucuns avancent que la littérature camerounaise se caractérise par une forme de comique bien visible dans les romans de Mongo Beti ou de Ferdinand Oyono (Huannou 1989 : 13). Pour Maryse Condé, « il existe un style romanesque sénégalais qui ne ressemble à aucun autre en Afrique […] Ainsi le charme du roman sénégalais et son mérite ne tiennent-ils pas à l'invention ou à l'originalité de la forme mais à la vivacité de la peinture » (Midiohouan 1986 : 38). Mais comme le note Adrien Huannou, les éléments qui passent pour être spécifiques à telle littérature peuvent très bien se retrouver dans d'autres y compris dans des littératures non africaines (Huannou 1989 : 40-41). De plus, il est évident qu'on force souvent le trait comme Guy Ossito Midiohouan n'hésite pas à le faire remarquer à propos de Maryse Condé :

> Oui, la « *vivacité de la peinture* », voilà ce qui fait la spécificité de « *la littérature sénégalaise* » ! Mais pourquoi donc cette recherche systématique et forcenée de la *différence* ? Est-ce qu'elle est motivée par l'originalité réelle des « *littératures nationales* » abordées ou par le désir des critiques de donner à lire des analyses fines et à tout prix novatrices qui « *fassent la différence* » et les distinguent parmi tous ? (Midiohouan 1986 : 38)

Ainsi un fervent défenseur de l'argument de la spécificité de la littérature africaine comme l'est Midiohouan s'insurge contre ce même argument lorsqu'il est appliqué aux littératures nationales du continent. Cela prouve assez combien il peine à convaincre et est inefficace à distinguer les littératures nationales les unes des autres et à dire leur autonomie. Qui plus est, cet argument se révèle, dans le contexte actuel, contre-productif. En effet, à l'heure des logiques transnationales, il est, en termes de stratégies de positionnement dans le champ littéraire mondial, particulièrement mal avisé d'exalter les valeurs nationales. Les tenants d'une littérature-monde en français l'ont bien compris qui, dans leur volonté de détrôner Paris, sont habiles à dénoncer le pacte avec la nation qui caractériserait la littérature française et à se placer eux-mêmes sous le signe de l'écrivain voyageur sensible aux rumeurs du monde (Le Bris *et al* 2007).

L'échec à recourir, de manière efficace, à l'argument des valeurs nationales ne signifie pas pour autant que la catégorie de littérature nationale n'est pas applicable en Afrique. Il apporte une preuve supplémentaire des insuffisances de la conception romantique et invite à chercher ailleurs des critères de définition.

**Pour une définition sociologique de la littérature nationale**

Dans les années 1970 et 1980 surtout, un débat assez vif a divisé écrivains et critiques autour de la question de savoir s'il existe des littératures nationales en Afrique. Ce débat a été hébergé par la revue *Notre Librairie* en particulier en ces numéros 83 à 85 (1986). Adrien Huannou en propose une synthèse critique dans *La Question des littératures nationales* (1989). Il ressort que nombreux sont ceux qui, pour des raisons différentes d'ailleurs, soutiennent que cette catégorie n'a pas sa place sur le continent. Certains, à l'instar de Midiohouan, prennent prétexte de l'absence de spécificités nationales pour la rejeter. Un courant panafricaniste prévient contre le risque de balkanisation qui accompagne les projets de nationalisation de la littérature africaine (Huannou 1989 : 64). D'aucuns avancent que les frontières des États africains étant artificiellement héritées de la colonisation, on ne peut véritablement parler de nations et encore moins de littératures nationales surtout lorsque celles-ci sont écrites dans les langues occidentales (*Ibid.* : 11).

Ces objections ont cela de commun qu'elles restent prisonnières de la vision romantique de la nation et de la littérature. Le travail d'Adrien Huannou présente l'intérêt d'y échapper puisqu'il propose une définition géographique et politique de la catégorie de littérature nationale :

> Une littérature nationale est l'ensemble des œuvres littéraires orales et écrites produites par les éléments d'une nation donnée, quelles que soient les langues utilisées. Puisque les Etats africains sont des nations, leurs littératures sont des littératures nationales ; il y a en Afrique autant de littératures nationales que d'Etats. Le concept de

> littérature nationale a un contenu essentiellement géographique et politique, comme les concepts d'Etat et de pays. (Huannou 1989 : 174)

Cette approche a néanmoins des limites. L'universitaire béninois a tendance à penser que défendre la catégorie de littérature nationale suppose de déconstruire celle de littérature africaine :

> Comme quelqu'un l'a rappelé bien à propos lors du colloque de Dakar, ce sont les Blancs qui ont créé l'idée d'« UNE littérature africaine » perçue et étudiée au plan continental. Les Africains ont bel et bien accepté et utilisé cette idée, bien qu'elle fût (et demeure) fausse ; ils ne lui ont pas opposé la résistance farouche que certains critiques et écrivains manifestent aujourd'hui à l'égard du concept de littérature nationale, sous prétexte qu'il est « une idée des Blancs ». Il y a là une inconséquence bien regrettable. En parlant d'« UNE littérature africaine » perçue et étudiée au plan continental, les Blancs ont marginalisé l'Afrique. (*Ibid.* : 162)

De plus, l'équation qu'il propose ne se vérifie pas toujours. Les cas d'Eugène Ionesco ou encore de Milan Kundera suffisent à rappeler que l'œuvre d'un auteur n'appartient pas automatiquement à sa nation d'origine. À cet égard, il convient de ne pas oublier que si les auteurs des premières générations comme Senghor sont reconnus comme étant des écrivains africains c'est, d'une part, parce que l'institution française a manqué de jugement en ne les cooptant pas comme elle l'a fait, justement, d'un Kundera et, d'autre part, parce que Senghor et ses compagnons ont habilement manœuvré pour, à travers le mouvement de la négritude, poser les bases d'un champ africain et affirmer son indépendance vis-à-vis de la France.

En définitive, Huannou ne tient pas suffisamment compte de ce que faire acte de littérature revient à s'insérer dans un champ littéraire, c'est-à-dire dans un espace social qui fonctionne selon des règles et des logiques qui lui sont propres. Cet espace est régi par des relations concurrentielles, chacun cherchant à élaborer des stratégies à même de lui garantir les positions les mieux dotées en termes de capital symbolique et de lui permettre de peser sur les règles du jeu.

De ce point de vue, la catégorie de littérature nationale renvoie à la littérature produite dans le cadre d'un système donnant lieu à un champ littéraire national plus ou moins autonome. Ce système qui édicte et contrôle les règles du jeu s'appuie sur un certain nombre d'institutions : établissements scolaires et universitaires, prix littéraires, maisons d'édition, … C'est donc au niveau du fonctionnement des champs littéraires, bien d'avantage qu'à celui des styles d'écriture et – on a souvent tendance à l'oublier – de l'origine des écrivains, que se situe ce qui distingue une littérature nationale d'une autre. Ainsi si la littérature congolaise ne peut être confondue avec la littérature sénégalaise ce n'est pas parce que l'une dépeint l'homme concret tandis que l'autre se démarque par la vivacité de la peinture mais bien parce qu'elles sont inscrites dans des espaces sociaux tout à fait différents. Le Congo a connu au milieu du XX$^{ème}$ siècle une vie littéraire assez animée, notamment autour de la revue *Liaison* qui a contribué à l'émergence et à la formation d'un certain nombre d'écrivains (Chemain 1977b : 15-16). Ce pays bénéficie en outre d'un fort taux de scolarisation qui joue en faveur de la réputation de son champ littéraire (Chemain 1977a : 13). Cependant la manière dont l'instabilité politique se répercute sur ce dernier lui enlève de son éclat. Ainsi, alors que l'organisation du festival Étonnants Voyageurs à Brazzaville en 2013 aurait pu apporter la preuve de l'effervescence littéraire de ce pays, la visite du président Denis Sassou Nguesso a suffi à ternir cette manifestation (Leménager 2013). Le Sénégal quant à lui peut se targuer de la « paternité » de la négritude, d'un système éducatif et universitaire particulièrement développé ou encore de ce que les Nouvelles Éditions Africaines ont été fondées à Dakar. Ces deux pays peuvent être considérés comme des pôles littéraires. Cependant, il y a chez l'un une continuité institutionnelle qui manque à l'autre de sorte que le champ littéraire sénégalais est doté d'un capital symbolique autrement plus important et que Dakar est, en termes de possibilités littéraires, beaucoup plus attrayante que Brazzaville.

C'est justement au niveau des institutions que l'application de la catégorie de littérature nationale en Afrique francophone est la plus problématique. La faiblesse institutionnelle – maisons parisiennes, instances de consécrations parisiennes, réseaux de distribution parisiens – dont souffrent le champ littéraire africain et les champs nationaux en Afrique est de nature à remettre en cause leur autonomie. La littérature africaine a réussi le tour de force de contourner ce problème en misant sur l'immense pouvoir de différenciation de l'argument de la spécificité africaine (Imorou 2014 : 14). Les littératures nationales sont loin de disposer d'une ressource similaire. Le développement des maisons d'édition africaines se révèle être, sur ce point, de première importance. Il constitue un pas non négligeable vers la compensation de cette faiblesse et ce d'autant plus que ces maisons gagnent en autorité. Une preuve en est le sens que prend la circulation des écrivains : alors que ces derniers avaient tendance à voir dans l'édition africaine un simple tremplin vers Paris, on observe un phénomène inverse. Des auteurs aussi établis que Sami Tchak et Théo Ananissoh délaissent Le Mercure de France et Gallimard pour signer avec ODEM et Elyzad (Tchak 2013 ; Ananissoh 2013).

Les maisons africaines participent, de ce fait, au processus d'autonomisation des littératures nationales en les libérant de l'emprise de Paris. En outre, elles possèdent un pouvoir de différenciation appréciable. En effet, elles se réalisent selon des modalités qui diffèrent d'un pays à l'autre et ce même lorsqu'il s'agit d'une maison panafricaine comme c'est le cas des éditions

CLE. Il est certain que cette maison dont le siège se trouve à Yaoundé n'informe pas la littérature des autres pays fondateurs (Bénin, Burundi, Congo, Rwanda, Côte d'Ivoire, Gabon, Togo, RDC) dans les mêmes proportions que la littérature camerounaise. À un autre niveau, le destin d'une œuvre ne sera pas le même selon qu'elle est publiée aux éditions CLE ou chez ODEM. De la première, elle tirera profit de la solide réputation d'une maison pionnière qui n'a plus à faire ses preuves. La seconde lui permettra de bénéficier de l'image d'une maison ambitieuse et qui sait faire de nécessité vertu : loin d'être affectée par la conscience de son manque d'expérience, elle joue au contraire de sa jeunesse à son avantage en mettant en scène son sens de la souplesse et une forme de séduction. En attestent le caractère faussement désinvolte de son directeur Pierre Ndemby et la manière dont son site Internet et sa page Facebook savent retenir le chaland.

L'approche sociologique permet donc de mieux percevoir ce qui distingue les littératures nationales. Elle présente, en outre, bien d'autres avantages. En consacrant comme elle le fait l'existence de ces littératures, elle donne davantage de visibilité aux écrivains locaux. Elle pousse le lecteur à regarder dans d'autres directions, l'invite à ne plus se focaliser sur les géants de la littérature africaine. Là où un spécialiste de cette dernière a déjà beaucoup à faire avec l'actualité sans cesse mouvante des Alain Mabanckou et autres Léonora Miano, quelqu'un qui s'intéresse à un champ littéraire national trouvera le temps de regarder aussi du côté des Isaie Biton Koulibaly (Côte d'Ivoire), Hervé Madaya (Cameroun) et Adelaide Fassinou (Bénin).

Mais que les panafricanistes se rassurent, l'attention ainsi portée sur ces auteurs ne constituent en rien un risque de balkanisation. Bien au contraire, elle est l'occasion d'une diversification salutaire des pratiques d'écriture et de lecture. De plus, la catégorie de littérature nationale n'est pas destinée à évincer celle de littérature africaine. Elle attire l'attention sur le fait qu'il existe, au-delà du champ littéraire africain pris dans sa globalité, des champs littéraires nationaux en phase d'autonomisation. Ceux-ci sont engagés dans des relations de concurrence et d'émulation qui contribuent à renforcer le champ littéraire africain dont ils sont finalement des composantes. Pour finir, il existe tout un réseau de circulation entre ces divers champs qu'il appartient aux institutions de valider. Ainsi le fait d'inscrire Léonora Miano au programme scolaire au Cameroun est une manière de consacrer son statut d'écrivain camerounais. Le rôle des maisons d'édition est, du point de vue de ces circulations, appréciable dans le sens où elles ne publient pas exclusivement des nationaux. Néanmoins, leurs efforts risquent de rester vains si elles ne sont pas secondées par d'autres institutions. L'université, en particulier, a son rôle à jouer. En l'occurrence l'essor de l'édition africaine est l'occasion pour elle de repenser l'histoire littéraire et de se diriger vers une histoire intégrée à même de considérer en même temps que les classiques et les étoiles du moment, les auteurs et les genres qui, pour être moins visibles, ne contribuent pas moins à la manière dont le champ littéraire africain devient incontournable sur l'échiquier mondial.

## Conclusion

À travers ce titre provocateur j'ai voulu, à la suite de Kossi Efoui, insister sur la nécessité qu'il y a à se départir de la définition romantique de la littérature nationale. La littérature comprise comme fille et mère de valeurs nationales n'existe nulle part pour la simple raison qu'écrire ne consiste pas à transmettre l'âme d'une nation, si tant est qu'une telle entité existe. Faire acte de littérature suppose surtout de s'inscrire dans un espace social particulièrement concurrentiel et d'en maîtriser les règles et les logiques de manière à être en mesure d'établir les stratégies de positionnement les plus efficaces. L'argument des valeurs nationales a fait partie de ces stratégies et le champ littéraire africain a su en user avec efficacité. Cependant, il a été, pour ainsi, victime de son succès puisque cet argument a rapidement pris valeur de paradigme de lecture du texte africain, la conséquence étant que ce dernier est souvent objet d'interprétations politiques et identitaires qui se font au détriment de sa dimension littéraire. Cette manière de faire laisse la littérature africaine peu armée dans la concurrence que lui livrent ses rivales dans le partage du capital littéraire mondial. Le développement de l'édition africaine et la multiplication consécutive des œuvres écrites et publiées en Afrique constituent un moment charnière. Il peut conduire à l'exacerbation des effets de la conception romantique et opposer auteurs locaux censés être plus authentiquement sénégalais, ivoiriens ou encore béninois aux auteurs de la diaspora sous le prétexte qu'ils seraient occidentalisés. Mais il peut aussi être l'occasion de comprendre qu'on ne juge pas un texte avec des critères identitaires mais littéraires et que, d'un point de vue stratégique, l'Afrique gagnerait à conjuguer les efforts des uns et des autres et à mettre en commun le capital littéraire emmagasiné localement et dans l'espace diasporique.

## Ouvrages cités

1986a. *Notre Librairie,* 83 (*Littératures nationales. 1. Mode ou problématique*).

1986b. *Notre Librairie*, 84 (*Littératures nationales. 2. Langues et frontières*).

1986c. *Notre Librairie*, 85 (*Littératures nationales. 3. Histoire et identité*).

Le Bris, Michel *et al.* 2007. « Pour une "littérature-monde" en français ». *Le Monde*, 16 mars.

Ananissoh, Théo. 2013. *L'Invitation*. Tunis : Elyzad.

Avezou, Laurent. 2008. *Raconter la France. Histoire d'une histoire*. Paris : Armand Colin.

—— 2013. *100 questions sur les mythes de l'histoire de France*. Paris : Les éditions de la Boétie.

Du Bellay, Joachim. 1936 [1549]. *La Défense et illustration de la langue française ; Poésie choisie*. Paris, Londres : Nelson.

Chemain, Roger. 1977a. « Entretien avec Jean-Baptiste Tati Loutard, Ministre de la culture ». *Notre Librairie*, 38 (*La littérature congolaise*) : 5-8.

—— 1977b. « La revue liaison ». *Notre Librairie*, 38 : 15-21.

Clarini, Julie. 2012. « Joël Cornette et Johann Chapoutot : "La France est une invention" », *Le Monde des livres*, 18 octobre (http://www.lemonde.fr/livres/article/2012/10/18/joel-cornette-et-johann-chapoutot-la-france-est-une-invention_1777065_3260.html; accédé le 20 juillet 2014).

Dessons, Gérard. 2013. « Préface ». In : Rivarol, Antoine de. 2013 [1784]. *Discours sur l'universalité de la langue française*. Paris : Manucius. [Version kindle non paginée].

Diop, Boubacar Boris. 1999. « Où va la littérature africaine ? ». *Notre Librairie*, 136 : 6-11.

Douin, Jean-Luc. 2002. « Écrivains d'Afrique en liberté ». *Le Monde*, 22 mars : 16

Espagne, Michel & Werner, Michael (Dir.). 1994. *Philologiques. Tome III : Qu'est-ce qu'une littérature nationale ? Approches pour une théorie interculturelle du champ littéraire*. Paris : Éditions de la Maison des sciences de l'homme.

Huannou, Adrien. 1989. *La Question des littératures nationales*. Abidjan : CEDA.

Imorou, Abdoulaye. 2014. « Le Texte littéraire africain et ses lectures. À propos du paradigme de la spécificité africaine ». In : Imorou, Abdoulaye (Dir.). *La Littérature africaine francophone. Mesures d'une présence au monde*. Dijon : Éditions universitaires de Dijon. 105-118.

Jurt, Joseph. 2009. « Le Champ littéraire entre le national et le transnational ». In : Sapiro, Gisèle. *L'Espace intellectuel en Europe*. Paris : La Découverte. 201-232.

Leménager, Grégoire. 2013. « Du Tintouin au Congo ». *Le Nouvel observateur*, 4 mars (http://bibliobs.nouvelobs.com/actualites/20130228.OBS0322/tintouin-au-congo.html; accédé le 20 juillet 2014).

Midiohouan, Guy Ossito. 1986. *L'Idéologie dans la littérature négro-africaine d'expression française*. Paris : L'Harmattan.

Moudileno, Lydie. 2005. « L'Invention du romantique : la littérature rose révolutionne l'édition africaine ». *Africultures*, 63 : 37-42.

Mouralis, Bernard. 1987. « L'évolution du concept de littérature nationale en Afrique ». *Research in African Literatures*, 18-3 : 272-279.

N'goran, David. 2009. *Le Champ littéraire africain. Essai pour une théorie*. Paris : L'Harmattan (Critiques littéraires).

—— 2012. *Les Illusions de l'africanité. Une analyse socio-discursive du champ littéraire*. Paris : Publibook.

Rivarol, Antoine de. 2013 [1784]. *Discours sur l'universalité de la langue française*. Paris : Manucius. [Version kindle non paginée].

Schüller, Thorsten. 2011. « "La littérature africaine n'existe pas", ou l'effacement des traces identitaires dans les littératures africaines subsahariennes de langue française ». *Études littéraires africaines*, 32 : 135-146.

Tchak, Sami. 2013. *L'Ethnologue et le sage*. Libreville : ODEM.

Tremblay, Jean-Marie (Éd.). *Ernest RENAN (1823-1892) écrivain, philologue, philosophe et historien français. « Qu'est-ce qu'une nation ? » (Conférence prononcée le 11 mars 1882 à la Sorbonne)*. Chicoutimi (Québec) : Les classiques des sciences sociales (http://dx.doi.org/doi: 10.1522/030155027; accédé le 20 juillet 2014).

Voltaire. 2014 [1719]. *Œdipe*. Paris : Arvensa. [Version kindle non paginée].

# Écrire, lire, penser et vivre à partir du continent. Le « phénomène Isaïe Biton » en Côte d'Ivoire ou les dernières lignes d'un champ littéraire national

David K. N'goran (Université Félix Houphouët-Boigny)

---

**Abstract**

*This study, "socio-institutional" in nature, assesses the conditions of the emergence of a quite unusual category of "literary texts" on the literary market of Côte d'Ivoire. The Ivorian Isaie Biton Coulibaly, a bestselling author with a mass readership, has been regarded as the flag bearer of popular literature for two decades now. As a matter of fact, a large number of publications fall into the mass consumption category: (fantastic stories, paperback romances, light and popular narratives, social myths. These texts are however reduced to the status of "paraliterature" by the literary institution. The subject of this study is to consider the possible literary and sociological stakes inherent in this trend. The article addresses, among other things, questions concerning popular literature vs elitist literature, literature vs counter literature and paraliterature in a national context. Hypotheses will be advanced with regard to the admissibility of an Ivorian literary field and the sociography of the actors who write, read, think and live on the African continent. Do such developments indicate the participation of an "Africa of the lower classes" in the world Republic of Letters?*

**Keywords**: popular culture; paraliterature; literary field; book market

**Mots Clés** : culture populaire ; paralittérature ; champ littéraire ; marché du livre

Cette contribution porte sur un ensemble de textes littéraires en émergence en Côte d'Ivoire, et dont l'avènement vient faire bouger les lignes de démarcation instituées, entre « littérature » et « paralittérature » ou « contre-littérature » (Mouralis 1975), « littérature d'élite » et « littérature populaire » ou « littérature de masse ». Plus précisément, dans ce qui pourrait se nommer imparfaitement un « champ littéraire ivoirien », apparaît, depuis deux décennies au moins, un rapport de forces très net entre les « écrivains majeurs » et ceux qui sont justiciables, d'une certaine façon, du vocabulaire que propose Frantz Kafka en termes d' « écrivains mineurs » au sens de « dominés en quête de liberté »[1]. Ces derniers sont, dans notre cadre, des bénéficiaires d'un franc succès de librairie[2] que la critique universitaire trouve suspect au regard des règles de l'art, au point de les désigner par les syntagmes peu reluisants de « vendeurs de livres », « marchand de livres », « publieur » (Acafou 2012).

Isaïe Biton Koulibaly en est tout à la fois le pionnier, le porte-flambeau et la figure de référence avec près de 90 textes (romans, nouvelles, chroniques, essais, littérature enfantine, etc.), plusieurs prix locaux (Prix Nyonda, Prix Yambo Ouologuem, Grand prix ivoirien des lettres, Prix Librairie de France Groupe), ainsi que plusieurs émules en termes de disciples. En disant de lui qu'il

---

[1] Il est vrai que Kafka fait référence à une minorité religieuse ou ethnique ayant une conscience militante de révolte. Il évoque, par exemple, le cas de la minorité tchèque à Prague et de la minorité juive à Varsovie ou encore de la littérature hongroise. Ce qui n'est pas tout à fait le cas ici. Pour plus de détails, voir *Kafka. Pour une littérature mineure* (Deleuse & Guattari 1975).

[2] À l'occasion de la cérémonie de remise du 5ème Prix Librairie de France Groupe de la meilleure vente, Isaïe Biton Koulibaly, avec sa nouvelle œuvre sortie chez NEI/CEDA, *La Parenthèse délicieuse*, a été désigné premier lauréat. Son roman s'est écoulé à 3 255 exemplaires dans le réseau Librairie de France Groupe (LGF). De même, sa nouvelle *Ah ! Les femmes*... (traduite en espagnol) s'est vendue en 5 000 exemplaires en un mois, un cas inédit dans l'édition africaine.

est un phénomène, il s'agit ici de postuler l'impact très phénoménal au sens de visible, d'empirique ou d'inattendu de cette littérature sur l'institution littéraire en Côte d'Ivoire. Dans ce sens, cette littérature à succès pourrait signifier d'abord manifestation pour dire que son essence même se donne dans sa phénoménalisation. Elle pourrait signifier aussi « illusion » comme réalité cachée sous l'apparence, telle qu'elle demande à être dévoilée.

Dès lors, notre problématique est d'interroger le sens sociologique et institutionnel de toute cette déferlante de textes littéraires à la textualité particulière : quel est le profil d'ensemble des acteurs de cette littérature ? Selon quelles stratégies d'écriture et de positionnement parviennent-ils à bousculer les règles instituées du champ littéraire ? Par quel type de contrat en sont-ils venus à capter et à fidéliser un si grand nombre de lecteurs au profil tout aussi déroutant ? En fin de compte, quelle est la représentativité de cet ensemble de productions en termes de configuration ou même de préfiguration de l'espace littéraire mondialisé ?

Notre hypothèse est que la participation de l'Afrique au vaste marché des biens symboliques ne sera plus l'affaire des seules élites astreintes à une « culture cultivée » comme le dit Bourdieu dans un autre contexte, mais qu'elle est aussi et surtout celle d'un lectorat populaire dont la définition de la notion de littérature oblige à reconsidérer les frontières du littéraire et du non-littéraire.

Aussi, la réponse à ces questionnements se fera-t-elle en trois moments : 1) une brève histoire d'un champ littéraire ivoirien selon les présupposés de la recevabilité de cette notion, puis, selon les attendus du contexte socio-littéraire de production, ainsi que ceux de la sociographie et de la biobibliographie d'Isaïe

Biton comme acteur de référence ; 2) une configuration d'ensemble de ses textes et de ses thèmes de prédilection, suivant les préalables de la frontière de la littérature et de la paralittérature ; 3) une évaluation de la réception de ses œuvres, telle qu'elle prend en compte la notion de stratégies d'auteur et celle d'un lectorat populaire, avec des émules comme face visible du « phénomène ».

## Isaïe Biton dans le champ littéraire national

### *Des conditions socio-littéraires d'un champ littéraire ivoirien*

Si l'on part du présupposé que les littératures africaines à l'intérieur des frontières des États-nations sont davantage justiciables du concept de champ littéraire[3], alors il existe un « champ littéraire ivoirien ».

En effet, d'un point de vue institutionnel, l'on peut noter en Côte d'Ivoire une publicisation, au sens de prise en charge par les pouvoirs publics, de la littérature. Sur ce point, l'intérêt de l'État ivoirien pour la création littéraire se manifeste très tôt en 1961,

[3] Nous établissons trois tendances de la sociologie des champs appliquée à la littérature africaine : une première tendance trouve cette démarche recevable à conditions de la conjuguer au pluriel en tenant compte de la configuration éclatée et diverse des « littératures nationales » concernées (Voir Fonkoua, Romuald, Halen, Pierre & Städtler, Katharina 2001). Une deuxième tendance postule la présence et la pertinence d'« un champ littéraire africain » au singulier et tente de montrer que les acteurs et les agents de la littérature africaine sont rassemblés par un ensemble de propriétés symboliques générales, puis spécifiques, constitutives de tout le paysage d'un champ littéraire en tant que monde social miniaturisé et gouverné par une logique propre au sens d'« auto- *nomos* » (N'goran 2009 ; Kadi 2010). Une troisième tendance nie ce présupposé en argumentant une « autonomie » non acquise du champ pour substituer à la notion de champ des concepts aussi flottants que « système littéraire », « institution littéraire » (Halen 2001).

avec, d'une part, la création des maisons d'édition, faisant aujourd'hui référence, telles que CEDA, NEI et EDILIS, remplissant, non seulement, une fonction économique importante[4], mais aussi une performance culturelle par la confection et la distribution de livres scolaires, de littératures générales, et de promotions des langues nationales. D'autre part, l'institution scolaire permet de prendre la mesure du champ au sens national du terme par l'intégration des textes d'auteurs ivoiriens (Aké Loba, Bernard Dadié, Amadou Koné, etc.) dans des manuels au programme, afin de projeter « la littérature ivoirienne » comme l'ensemble des traits thématiques, linguistiques et esthétiques qui permettent de rattacher un corpus d'œuvres et de pratiques littéraires à un groupe ou une communauté ivoiriens historiquement et politiquement constitués.

De même, les instances de consécration et de légitimation, ainsi que les édifices inscrits au patrimoine culturel de l'État (bibliothèque nationale[5], librairies, Maison des écrivains[6], presse spécialisée, prix littéraires[7], symboles de distinction, événements

---

[4] En 1998, le chiffre d'affaire des CEDA s'élevait à 4 milliards de francs CFA quand celui de NEI passait à plus de 5 milliards en 1999 (Kadi 2010 : 30-31). Par ailleurs, Les derniers chiffres de l'industrie du livre en Côte d'Ivoire atteste d'une santé économique fort reluisante du secteur (26,4 milliards de francs CFA et 1291 personnes employées pour la région d'Abidjan, ainsi que 7 millions de livres imprimés annuellement), mais d'une pratique insignifiante de la lecture (70% pour l'édition scolaire et 30% pour la littérature générale, ce qui revient, pour la dernière modalité, à un ratio de 0,1 livre par habitant (Agbia 2012 : 3-4).

[5] Avec un budget dérisoire de 5 millions de francs CFA (7 500 euros) en 2000-2001 (Kadi 2010 : 30-31).

[6] Maison pas encore fonctionnelle.

[7] Le prix littéraire Houphouët-Boigny créé en 1969 ne connut qu'une seule édition. Le lauréat fut Gérard Aké Loba pour son œuvre *Les Fils de Kouretcha* (1970). Le prix de l'AECI créé en 1999 ne connut également qu'une seule édition et fut attribué à Amadou Koné pour son œuvre *Les Coupeurs de têtes*, (1997). Aujourd'hui, le prix Ivoire d'Akwaba culture fait son chemin pour sa

littéraires, etc.), malgré leur état fonctionnel non reluisant, affichent au moins empiriquement les paramètres institutionnels d'un champ littéraire ivoirien. À quoi on ajouterait les écrivains eux-mêmes, tels qu'ils font réseaux (association, affinités générationnelle, idéologique et thématique), intéressés par une définition de la littérature dans un contexte de tension entre littérature et politique que tempère l'autonomie relative du champ littéraire.

Isaïe Biton Koulibaly fait son entrée dans ce champ, déjà riche de son histoire et de ses conditions sociologiques de maturation, en 1978 avec *La Légende de Sadjo,* un texte de 63 pages, inscrit dans la rubrique « littérature enfantine ». Il s'inspire de l'histoire de Mali Sadio, une légende très connue au Mali, issue d'une tradition orale populaire et racontant une histoire d'amitié entre une fillette et un hippopotame. Mais quel est l'état du champ littéraire ivoirien à cette époque ?

En effet, comme nous l'avons déjà montré ailleurs (N'goran 2012), l'état du champ littéraire ivoirien de la fin des années 1970 et du début des années 1980 coïncide avec deux tendances lourdes, toutes consécutives à l'environnement sociopolitique de cette période, partagé entre espoir et désenchantement liés à la gestion des indépendances politiques. La première tendance offre un recours très prolixe et régulier à la tradition orale en tant que nouvelle source de littérarité[8], quand la

---

troisième édition. Il y a également, les prix B. Dadié (doté de 500 000 francs CFA) et Isaïe Biton (200 000 francs CFA) qui sont plutôt des initiatives privées et non étatiques. Par ailleurs, l'attribution du Grand prix littéraire d'Afrique noire porte toujours la mention de la nationalité des lauréats. La Côte d'Ivoire en compte sept : Aké Loba (1961), Bernard Dadié (1965), Jean-Marie Adiaffi (1981), Ahmadou Kourouma (1990), Maurice Bandama (1993), Véronique Tadjo (2005) et Venance Konan (2013).

[8] C'est le théâtre et la poésie qui portent l'oriflamme de la tendance oraliste avec des courants comme « la griotique » de Niangoran Porquet, lequel initiait

seconde donne à voir une littérature ivoirienne engagée dans la critique sociale et politique, en observant une rupture tant au niveau de la thématique que de la forme d'écriture[9]. Cependant, l'entrée en littérature d'Isaïe Biton prend presque le contre-pied de cet état du champ. Elle pourrait s'inscrire plutôt dans une troisième tendance, alors en émergence, mais non suffisamment prise en considération par la critique, celle d'une littérature de presse, voire une « paralittérature » incarnée par des personnages de bandes dessinées, tels que Moussa, monsieur Zézé et John Koutoukou promus par le magazine *Ivoire Dimanche* sous la forme de satire sociale au quotidien. Il est aisé de projeter Isaïe Biton dans cette catégorie de la littérature « des marges » selon le profil d'écrivain qu'il donne à voir du point de vue de sa sociographie et de sa biobibliographie.

## *À la sociographie et biobibliographie d'un entrant*

Nous entendons par sociographie une sorte de morphologie sociale de l'agent ou du sujet, susceptible de rendre compte de sa trajectoire, elle-même rassemblant sous un même code social son histoire de vie et sa carrière d'écrivain. L'on sait qu'Isaïe Biton est né en 1949, c'est-à-dire quatre ans après l'abolition du travail forcé et onze ans avant les indépendances politiques. On peut donc supposer que son expérience de la colonisation n'est pas immédiate. Outre ce qu'il découvrit dans les manuels d'histoire,

---

un canon littéraire mêlant l'art du griot, la chanson et la musique (*Mariam et griopoème* (1978), *Zaoulides* (1985)). Le « didiga » de Bernard Zadi Zaourou dont la forme d'écriture et de représentation emprunte aux récits des chasseurs traditionnels du pays Bété, ainsi qu'à l'art poétique des artistes de son terroir en notamment de Gbazza Madou Dibero (*Fer de lance*, 1975).

[9] Le texte fondateur de cette rupture reste bien *Les Soleils des indépendances* (1968) d'Ahmadou Kourouma. Il est suivi de plusieurs autres textes comme *Monsieur Thôgô-gnini* (1970) et *Béatrice de Congo* (1970) de Bernard Dadié, *D'éclair et de foudre* (1980) et *La Carte d'identité* (1980) de Jean-Marie Adiaffi, *Sous le pouvoir des blakoros* (1980) d'Amadou Koné, etc.

celle-ci semble plutôt imaginée, tant que son corpus reste essentiellement ce qui lui fut raconté par ses parents, habitant le quartier de Treichville[10], espace politisé par excellence à cette époque. Après avoir étudié les lettres modernes à l'Université d'Abidjan, il étudie les techniques de rédaction à Paris avant d'atterrir chez NEA (Nouvelles Éditions Africaines) et plus tard au service littéraire des Nouvelles Éditions Ivoiriennes (NEI). Il est correspondant régulier dans la presse écrite, notamment dans le magazine international féminin *Amina,* dans l'hebdomadaire *Go magazine,* ainsi que dans le quotidien *L'Intelligent d'Abidjan.* Il est également chroniqueur littéraire de longue date à la radio et télévision d'État.

On voit donc que son profil n'est pas celui de l'élite intellectuelle de son pays, écrivain-enseignant-universitaire, dont l'*habitus* linguistique est rendu par les grandes circonvolutions de la langue française ou dont le mode de penser et d'écriture est fait d'idées philosophiques ou de théories artistiques enseignées dans les amphithéâtres. Son style d'écriture, fait de phrases simples « sujet-verbe-complément », l'autorisant à revendiquer sans cesse une filiation auprès d'Aleksandr Pouchkine, nous semble en réalité être un éthos d'acteurs de professions moyennes (écoles primaires supérieurs[11], écoles d'instituteurs et écoles de

[10] Ancien quartier colonial, portant le nom du Gouverneur colonial Treich Lapleine, où naquit le PDCI-RDA et qui connut plusieurs émeutes entre 1944-1950 (Benot 1994).

[11] Selon ce qu'en disait Daniel Delas à propos du profil intellectuel de Kourouma projeté sur sa compétence linguistique, Kourouma « n'est pas un lettré, sa formation initiale est celle de l'école primaire supérieure de Bingerville où les futurs instituteurs ou les commis de l'administration coloniale recevaient une formation à l'écriture très précisément codifiée [...]. Pour eux, pas de latin, et donc pas d'auteurs classiques, ni d'exercices rhétoriques, mais des auteurs modernes sélectionnés sur la base de la clarté de leur style à partir desquels les élèves apprendraient l'art de faire des phrases

journalisme). Il est également celui d'un professionnel de l'édition, profondément socialisé par l'obsession des chiffres de vente, d'où l'allure de ses titres, avec les attendus commerciaux qui les sous-tendent comme on peut le voir à travers ce tableau renseignant 22 titres arbitrairement retenus pour des nécessités d'économie spatiale :

| | Titre | Genre | Édition | Année |
|---|---|---|---|---|
| 1 | *Les Deux amis* | Nouvelles | NEI | 1978 |
| 2 | *Le Domestique du Président* | Nouvelles | CEDA/WALESS | 1982 |
| 3 | *Ma Joie en lui* | Roman | NEI (Adoras) | 1984 |
| 4 | *Ah ! Les femmes...* | Nouvelles | Koralivre/Les classiques ivoiriens | 1987 |
| 5 | *Le Sang, l'amour et la puissance* | Roman | L'Harmattan | 1989 |
| 6 | *Les Leçons d'amour de ma meilleure amie* | Nouvelles | BOGNINI | 1990 |
| 7 | *Ah ! Les hommes...* | Nouvelles | Koralivre/Les classiques ivoiriens | 1991 |
| 8 | *L'Immeuble des célibataires* | Nouvelles | Koralivre | 1991 |
| 9 | *Encore les femmes, toujours les femmes* | Nouvelles | Koralivre/Les classiques ivoiriens | 1995 |
| 10 | *Mon Mari est un chauffeur de taxi* | Nouvelles | Passerelles | 1998 |
| 11 | *Sur le chemin de la gloire* | Roman | Koralivre | 1999 |
| 12 | *Que Dieu protège les femmes* | Nouvelles | Passerelles | 1999 |
| 13 | *Merci l'artiste* | Roman | NEI (Adoras) | 1999 |
| 14 | *Comment aimer une femme africaine* | Essai | Koralivre/Les classiques | 2006 |

courtes du type sujet-verbe-complément et de s'exprimer simplement et clairement » (Delas 2013 : 58).

| | | | | |
|---|---|---|---|---|
| | | | ivoiriens | |
| 15 | *Comment aimer un homme africain* | Essai | Koralivre/Les classiques ivoiriens | 2006 |
| 16 | *La Bête noire* | Roman (adapté au cinéma) | Frat-Mat | 2007 |
| 17 | *Le lit est tout pour le mariage* | Nouvelles | Frat-Mat | 2007 |
| 18 | *Et pourtant, elle pleurait* | Roman | Frat-Mat | 2005/2008 |
| 19 | *Sugar Daddy, une jeune fille aime un tonton* | Roman | NEI (Adoras) | 2011 |
| 20 | *Tu seras mon épouse* | Roman | NEI (Adoras) | 2011 |
| 21 | *Enchaînée pour l'amour d'un homme* | Nouvelles | Les classiques ivoiriens | 2012 |
| 22 | *La Parenthèse délicieuse* | Roman | NEI | 2012 |

*Tableau 1: Titres d'Isaïe Biton*

On peut noter à travers ce tableau que tous les 22 titres renseignés donnent à voir un penchant à la nationalisation de la publication auprès des maisons d'édition locales, avec une espérance statistique qui devrait tourner autour de 99%. Il y a également autant de romans que de nouvelles (10/10 pour chacun de ces deux genres) comme pour attester du caractère très « populaire » de sa littérature, tant que des genres comme la poésie ou l'épopée ou même le roman de teneur philosophique devraient faire appel à davantage de préceptes esthétiques normées et de « hauteur stylistique ». Les espacements des années de parutions (échantillon cumulé à l'ensemble des productions de 1978 à 2012) sont de 2,64 livres par an, ce qui dénote de l'intérêt largement industriel de ses productions, suivant un programme de visibilité prescrit par les techniques du marketing, du management et de la publicité sur lesquelles nous reviendrons plus loin.

**La thematologie : littérature ou paralittérature ?**

Cette étape de notre analyse se soumet à ce qui y apparaît comme une fausse question de la coupure entre littérature et paralittérature, mais dont la nécessité paraît indiscutable si l'on veut comprendre la logique des textes d'Isaïe Biton à l'aune de leurs traitements thématiques. Ceux-ci sont rendus par trois grandes régularités que sont : la femme, Dieu et le pouvoir (avec les motifs respectifs liés à l'amour, la richesse, la gloire, la puissance et la morale sociale).

Dans le premier cas, comme dans tous les textes inscrits dans un registre populaire, la femme est le condensé d'une dualité sociale oscillant entre mythologie du bien et du mal, de la vertu et du vice, de la vie et de la mort. Elle est tantôt femme fatale sous le modèle, par exemple, de Prisca Belle, une étudiante d'une beauté hors du commun dont l'équivalant en valeur comptable vaut « 100 PHD d'une université américaine de renommée internationale et un millionnaire plein aux as » (Biton 2013 : 30). Cette image stéréotypée n'est rien d'autre que la reprise d'un abrégé emblématique dont la correspondance universelle s'actualise à travers le nez de Cléopâtre, Ève tentatrice, Omphale enjôleuse, Circé ensorceleuse ou sorcière jeteuse de sort, tout comme Moussokôrôni dévoreuse de la chair masculine, et rappelant, dans son rapport à l'homme, comme dit Bourdieu dans un autre cadre : « toute la mythologie de la puissance maléfique, terrifiante et fascinante de la femme de toutes les mythologies » (Bourdieu 1998 : 149). Cependant, cette représentation du sujet féminin selon les symboles de la tentation, de la chute et de la mort ne réalise sa parfaite totalité dialectique qu'en ayant recours à la métaphore des genres sexués masculin-féminin, homme-femme, femme-mâle dont le personnage, par exemple, de Marie Léontine Djikalou assume l'incarnation. Prototype du leadership féminin, Marie Léontine Djikalou porte l'oriflamme de la femme juste, travailleuse et mère de famille vertueuse qu'une société à la dérive définit comme son rempart (Dobla 2013 : 42). En outre, du point de vue de la création artistique, Isaïe Biton a recours à l'image de la femme comme objet de consommation de masse. D'où les prototypes d'images de femmes, toujours belles et séduisantes faisant office d'illustrations de ses pages de couverture, dans la perspective d'une fonction de mobilisation publicitaire.

Dans les autres cas, les thèmes du pouvoir et de Dieu fonctionnent suivant le même paradigme d'une symbolique ascensionnelle (Durand 1992 : 138), si l'on veut recourir aux structures durandiennes de l'imaginaire. Pour faire sens socio-littéraire, ces trois thèmes centraux sont traités d'une façon qui donne à voir généralement des trames mettant en scène des personnages à la recherche de désirs inassouvis (amour, richesse, gloire). La notion de Dieu ne fait qu'élaborer une grande morale du bon sentiment et dont les référents sont livrés par les grandes religions révélées, à savoir le christianisme[12] et l'islam. L'auteur dit par exemple dans un entretien avec Jean-Marie Volet :

> Quand je parle de Dieu, je ne cite pas des versets bibliques ou des commandements mais j'essaie d'illustrer quelques préceptes des Evangiles à travers mes récits. Ainsi dans *Merci l'artiste,* je pose le problème de la souffrance et de l'humilité que nous enseigne Jésus-Christ. A travers mes écrits je veux amener mon lecteur à l'idée de perfection, à voir l'autre comme étant lui-même. (Volet 2001)

Par ailleurs, ces thèmes donnent corps à des histoires dont l'intrigue coïncide avec le fait divers. Fondamentalement, le fait

---

[12] Se définissant comme « chrétien catholique pratiquant et engagé dans la vie de sa paroisse », Isaïe Biton exploite avec succès le thème de Dieu.

divers est une région accessoire du journal. Les informations qu'il contient relève du récit de « petite taille », d'une brève durée de vie, d'une richesse informationnelle simple, et à la fonction référentielle ou savante nulle. Barthes dirait du fait divers qu'il est « futile et souvent extravagant, d'une causalité pauvre et d'une coïncidence répétitive, voire stéréotypée, mais traitant de problèmes fondamentaux, permanents et universels : la vie, la mort, l'amour, la haine, la nature humaine » (Barthes 1964 : 188). Pour autant, ils sont mobilisateurs à cause de leur pouvoir de fascination, ainsi que de « la trouble attraction » qu'ils exercent sur le lectorat. Enfin, la forme d'écriture constitue un des traits caractéristiques des textes d'Isaïe Biton. En effet, à force d'accorder la primauté à l'action ou à l'intrigue au détriment du style, les textes de cet écrivain donnent à voir une stylistique carnavalesque (caricature, rire, simplicité des personnages sur le modèle de la bande dessinée, vocabulaire pauvre), discriminant ainsi la stylistique des textes par des tropes classiques.

En somme, on peut dire que les productions de l'écrivain ivoirien relèvent d'un genre malléable, à savoir une littérature populaire ou paralittérature dont les invariants touchent davantage aux récits, à la thématique, aux personnages, à la littérarité, mais également à la réception, comme nous allons le voir à présent.

## Sociologie de la réception : l'auteur et son public

Il nous faudra observer dans cette étape de notre analyse le public d'Isaïe Biton, dans les termes d'une sociologie de la réception qui permet de cerner, tour à tour, les conditions de lecture, le profil des lecteurs, puis les stratégies de l'auteur qui assurent à Isaïe Biton son succès auprès d'un tel lectorat.

En premier lieu, plusieurs facteurs peuvent être considérés comme des déterminants majeurs de l'essor de la littérature populaire dans les littératures francophones du Sud. Ce sont, entre autres, comme le note Christiane Ndiaye : « l'alphabétisation graduelle des classes populaires, les nouveaux modes de production et de diffusion audio-visuelle et informatisés, ainsi que l'accès à l'éducation d'une plus large couche de la population » (Ndiaye 2009 : 13). Pour le cas ivoirien particulièrement, il faudra y ajouter, d'un côté, l'essor d'une presse à sensation, dont la ligne éditoriale est essentiellement intéressée par les récits de comptoir, de concierge, de colportage et dont le régime discursif, comme dit Marc Angenot dans un autre cadre, est celui de « la rumeur sociale donnant l'impression d'un *tohu bohu* » (Angenot 2006). Cette presse de registre populaire, dont la logique d'information-spectacle n'est plus celle des journaux traditionnels politiquement très clivés, offre des espaces où prospèrent des faits divers, des récits à l'eau de rose ou à relents fantastiques très prisés par un type de lectorat au profil bien déterminé. C'est pourquoi, selon les derniers chiffres livrés par le Conseil national de la presse en Côte d'Ivoire (CNP), les ventes du quatrième trimestre 2013 placent en tête des meilleures ventes des hebdomadaires les titres dont la logique éditoriale est constituée d'événements étranges, vécus ou imaginés au quotidien, racontés de bouche à oreilles, jamais attestés, ni vérifiables, mais dans lesquels chacun des lecteur prétend se reconnaitre[13].

De ce point de vue, l'on peut affirmer que les médias, en ce contexte d'un champ littéraire national, remplissent une fonction de capital institutionnel et symbolique, c'est-à-dire, à la fois, d'hypotexte, d'hypertexte, en faisant des acteurs « les médiacraties » à cause de la nécessité pour eux de devoir leur légitimité littéraire à leur compétence médiatique.

---

[13] Ce sont *Go Magazine*, 1er avec 155 932 exemplaires vendus, *Gbich*, 2ème avec 110 962 exemplaires vendus et *Allo Police*, 3ème avec 101 077 exemplaires vendus (Conseil national de la presse 2014).

D'un autre côté, il faudrait ajouter l'influence pendant ces dix dernières années de Nollywood, la puissante industrie nigériane du cinéma, dont les productions sont particulièrement prisées par un lectorat au profil, en fin de compte hybride. À ce propos, selon une étude très fournie et proposée par Ibrahima Diakité, *Le Livre et son public en Côte d'Ivoire* (2013), la répartition des acheteurs de livres dans les communes d'Abidjan (le centre dominant de l'espace littéraire en Côte d'Ivoire) donne à voir combien les communes populaires rivalisent avec les communes des cadres et des élites intellectuelles.

Ainsi avons-nous Abobo[14] (20,60%), Treichville[15] (13,73%), Yopougon[16] (19,74%) contre Cocody[17] (29,61%). Plus encore, les romans représentent 66,59% des livres achetés avec des sous-genres comme le roman à l'eau de rose (34,71%), la science-fiction (24,24%), et les livres à caractères religieux (28,48%). De

---

[14] Commune la plus peuplée de Côte d'Ivoire et habitée par une population ayant, généralement, un niveau de vie en dessous de la moyenne, ce qui autorise qu'elle soit qualifiée de « quartier populaire ».

[15] Ancienne capitale politique que le phénomène d'urbanisation de la ville d'Abidjan a reléguée au rang de « quartier populaire ».

[16] La plus grande commune de Côte d'Ivoire, mais dont les modes d'habitation (habitations populaires à loyers modérés) ainsi que le mode de vie des habitants (fonctionnaires à la retraite, jeunes employés en activité, avec une forte population de sans-emplois abonnés à la vie festive) et hébergeant un grand nombre de buvettes (appelées communément maquis) et de bars-dancing, avec un niveau de prostitution alarmant de jeunes filles à peine pubères. Il répond ainsi de tous les critères d'un « quartier populaire ».

[17] Quartier de l'Université, des grands établissements publics et parapublics (écoles de police et de gendarmerie, école de Statistique, Centres hospitalier Universitaire, ENA, etc.) ainsi que des Ambassades, de la résidence présidentielle et de celles de la plupart des élites politiques, administratives et intellectuelles. Cocody reste le « quartier chic » par excellence malgré le phénomène d'urbanisation postcoloniale qui tend à instaurer, tout à la fois, des taudis environnants et des bâtisses haut standing générateurs de nombreuses extensions (Riviera, II Plateaux, Angré, etc.).

même, ces livres dont les traits relèvent exactement de la paralittérature ou de la littérature populaire, occupent la place des meilleures ventes (en moyenne 150 exemplaires vendus par trimestre) contre 419 pour les livres chrétiens et 23,67 pour les autres livres. De même, les principales catégories socioprofessionnelles des lecteurs ivoiriens repérés par les libraires eux-mêmes, sont représentées majoritairement par les élèves (61,90%), les étudiants (19,05%), les fonctionnaires (9,52%) et les ménagères (4, 76%).

Deuxièmement, le public d'Isaïe Biton se singularise par la relation littéraire qui le lie à l'écrivain. Cette relation se décline en « pacte de connivence » ou de « proximité réflexive ». Autrement dit, il existe chez Isaïe Biton une stratégie de positionnement par laquelle il joue le rôle de porte-parole de ses lecteurs. Le préfacier du *Domestique du Président* écrit par exemple :

> Nous sommes fatigués de ces auteurs intelligents qui dissèquent au lieu de montrer, qui démontrent au lieu d'inventer, et qui parlent à l'esprit au lieu du cœur. Si dans le concert des littératures mondiales, l'Afrique a un rôle à tenir, c'est peut-être celui-ci : de ramener le roman à plus de naturel, de spontanéité, de le faire vivre et rêver. Et en ceci, Isaïe Biton Koulibaly, le plus simplement du monde, assume son rôle d'écrivain africain et mondial. (Armand 1982 : 7)

Outre cette technique d'identification ou d'adhésion du lectorat, l'auteur évoque plusieurs autres clés de son succès en prescrivant ce qui suit :

> En général, le succès est dû à trois facteurs, d'abord, le nom de l'auteur et j'ai eu la chance de me faire un nom assez vite. Les éditeurs changent souvent les noms des écrivains afin de faire impression (par exemple, on cherche souvent la voyelle i dans les noms et prénoms) ; deuxièmement, le titre car le lecteur achète souvent à cause du titre. Personnellement, je prends des mois pour chercher mes titres et suis devenu un spécialiste ; troisièmement, le style. Ce dernier facteur est

> déterminant pour la durée du succès et comme je l'ai déjà dit, j'ai été à bonne école dans ce domaine. (Volet 2001)

On voit ici s'actualiser une des théories behavioristes d'inspiration pavlovienne dont les beaux jours en publicité et marketing de vente continuent d'intéresser les annonceurs[18].

Cette stratégie de conquête ou de séduction du lectorat au-delà de la seule littérarité du texte dans son sens classique se manifeste également par une logique de starisation ou même de populisme comme par exemple le fait de susciter des « fan clubs » ou des prix littéraires portant le nom de l'écrivain. On sait à ce sujet qu'il existe aussi bien en Côte d'Ivoire qu'au Benin, au Togo et au Gabon des fans club « Isaïe Biton », lesquels ont institué depuis 2003 « le prix littéraire Isaïe Biton de la nouvelle», d'une valeur de 200.000 francs CFA, (300 euros) et récompensant tous les deux ans un jeune auteur prometteur.

Pour autant, quelle est la représentativité de cette forme de littérature de masse dans la vaste République mondiale des lettres ? Cette littérature pourrait revendiquer sa représentativité à plusieurs niveaux.

D'abord, elle fait retentir une parfaite correspondance avec ce qu'il est convenu d'appeler dorénavant la littérature africaine de la diaspora, produite par des écrivains africains vivant et écrivant hors du continent (notamment en France) et dont le filon d'écriture – exotisme, débat de société de tonalité proche de la polémique de comptoirs (Beyala 1995, 2000), histoires sentimentales à l'eau de rose, langage littéraire proche d'une « pornographie exotique » (Borgomano 2001 : 254-255) –, style

[18] Allusion faite ici aux techniques de matraquage (prix barrés, prix en 9) destinées à obtenir la passivité du consommateur en aiguisant chez lui des actes reflexes.

carnavalesque, thématique individualiste, personnages dé-centrés, le tout médiatiquement riche en ressources), apparaît comme un *éthos* dominant de ce qu'être écrivain veut dire aussi bien dans le champ littéraire africain francophone que dans la République mondiale des lettres, en ce XXI$^{ème}$ siècle.

Ensuite, cette littérature exerce une capacité à entraîner un dérangement du champ littéraire national en conformité avec les nouveaux enjeux de l'écriture et de la définition de la littérature selon la vaste cartographie d'une culture mondialisée. Suivant ses *propres* règles du jeu, elle se démarque des grands « récits militants » ayant constitué pendant très longtemps les critères de littérarité des textes d'auteurs africains pour faire la part belle à une logique industrielle de production et de vente selon la recette des « trois S » (suspens, sang, sexe) prédéfinie depuis, au moins, Yambo Ouologuem[19] au début des années 1970. En effet, à force de suspens, de sang et de sexe, le texte africain de ces dernières années devient le lieu d'une expérience transgénérique qui met côte à côte roman classique, roman policier, roman érotique, nouvelles, esthétique empruntée au cinéma ou à la bande dessinée.

Enfin, elle reconfigure les lignes traditionnelles du champ littéraire national et ses institutions, en revendiquant, d'un côté, de nombreuses émules comme Fatou Fanny-Cissé, *Une femme, deux maris* (2013), Mathurin Goli Bi Irié, *La Lycéenne* (2013), Mesmin Komoé, *Reine de la rue princesse* (2009), Sakanoko Khioud, *Le Tueur de Koumassi* (2012), Eric Bohème, *Zone 4* (2011) et Anzata Ouattara qui rivalise avec Isaïe Biton en termes de succès de ventes. Cette dernière est classée « meilleure vente 2013 » avec 3 771 livres vendus, succédant ainsi à son mentor

[19] Le moment fondateur peut en être *Le Devoir de violence* (1968). Les règles ainsi énoncées sont contenues dans *Lettres à la France nègre* (1969). Voir N'goran (2007).

Isaïe Biton, lauréat de la même distinction l'année précédente pour 2 747 ventes. Aussi, la presse ivoirienne n'hésite-t-elle pas à la traiter de « grande vendeuse de livres » :

> Depuis qu'elle a trouvé son créneau, la journaliste Anzata Ouattara est devenue l'une des auteurs dont les ouvrages s'arrachent dans les rayons des librairies. Singulièrement « Les coups de la vie », un recueil de témoignages inédits, pour ne pas dire insolites, sur des faits de la vie quotidienne. Après le succès fulgurant du tome 4 (1ère et 2ème meilleure vente de l'année respectivement en 2011 et 2012 de La Librairie de France Groupe), la jeune femme vient de publier, toujours chez Go Média, qui édite ses œuvres, le tome V. (YS 2013)

D'un autre côté, le succès de librairie paraît nettement phénoménal parce qu'il prend appui sur une forte population de lecteurs d'origine culturelle modeste, mais majoritaire, dont l'impact participe des luttes pour la redéfinition de la « littérature africaine » et/ou « ivoirienne » légitime.

## Conclusion

La littérature ivoirienne laisse présupposer ici l'état de dérangement actuel des champs littéraires nationaux à l'échelle du continent. Sous les effets conjugués d'une vaste culture mondialisée, telle qu'elle affecte les cultures locales, dans leur tendance « non cultivée », une littérature populaire en émergence tend à reconfigurer le paysage des institutions littéraires. Isaïe Biton Koulibaly (36 ans de pratique littéraire) a su construire patiemment sa stratégie : celle-ci part des textes (style d'écriture, thématique populaire, esthétique de genre, langue littéraire, personnages, trames des récits, etc.) aux paratextes (presse écrite et médias audio-visuels, bande dessinée, cinéma, publicité) jusqu'aux lecteurs (marketing et management de vente, technique de fidélisation, fan-club, prix littéraires, culture de masse). En fin de compte, il finit par faire bouger les lignes instituées du champ littéraire à l'échelle de son pays et d'une certaine façon dans d'autres pays africains (Burkina Faso, Gabon, Benin, Togo), en mettant en jeu l'identité de « l'écrivain africain » par un *ethos* de la visibilité à tout crin, c'est-à-dire, de la starisation au moyen de la compétence médiatique. Ayant à son actif tout un lectorat dont il a réussi à infléchir la sensibilité d'identification ainsi qu'une puissante industrie éditoriale dont la rationalité artistique est celle des chiffres de ventes, il peut s'autoriser à brouiller les statuts attestés d'une littérature populaire et d'une littérature savante, ainsi que ceux du littéraire et du non littéraire. Il met ainsi en relief la vitalité et la forme d'empiricité qui caractérisent l'espace littéraire sur le continent mais que la critique ne perçoit pas toujours.

## Ouvrages cités


Acafou, Zacharie. 2012. « Isaïe Biton Koulibaly : d'un livre l'autre ou l'imposture d'un littérateur ». *Les Cahiers Littéraires de Zacharie Acafou. Notes de lecture d'œuvres littéraires africaines d'expression francophone*, 2 février (http://zacharieacafou.ivoire-blog.com/archive/2012/02/02/isaie-biton-koulibaly-d-un-livre-l-autre-ou-l-imposture-d-un.html ; accédé le 20 juillet 2014).

Adiaffi, Jean-Marie. 1980a. *D'éclair et de foudre*. Abidjan : CEDA.

—— 1980b. *La Carte d'identité*. Paris : Hatier.

Armand, Eliane. 1982. « Préface ». In : Koulibaly, Isaïe Biton. *Le Domestique du Président*. Abidjan : CEDA/Waless. 7-22.

Agbia, Lucien. 2012. « Rapport annuel de la direction générale du trésor ». *La Tribune de l'économie*, 26 novembre : 1-22.

Angenot, Marc. 1975. *Le Roman populaire. Recherche en paralittérature*. Montréal : Presses de l'Université du Québec, 1975.

—— 2006. « Théorie du discours social. Notion de topographie de discours et de coupures cognitives ». *COnTEXTES,* 1 (*http://contextes.revues.org/51* ; accédé le 20 juillet 2014).

Barthes, Roland. 1964. *Essais critiques*. Paris : Seuil.

Benot, Yves. 1994. *Massacres coloniaux 1944-1950. La IVème république et la mise au pas des colonies françaises*. Paris : La Découverte.

Beyala, Calixthe. 1995. *Lettre d'une africaine à ses sœurs occidentales*. Paris : Spengler.

—— 2000. *Comment cuisiner son mari à l'africaine*. Paris : Albin Michel.

Biton, Isaïe Koulibaly. 1978. *La Légende de Sadjo*. Abidjan : CEDA.
—— 1982. *Le Domestique du président*. Abidjan : Ceda/Waless.
—— 1987. *Ah ! Lles femmes...* Abidjan : Les classiques ivoiriens.
—— 1991. *Ah ! Les hommes...* Abidjan : Les classiques ivoiriens.
—— 1998. *Mon mari est un chauffeur de taxi*. Abidjan : Passerelles.
—— 1998. *L'Immeuble des célibataires*. Abidjan : Passerelles.
—— 2007. *La Bête noire*. Abidjan : Frat-Mat.
—— 2005/2008. *Et pourtant elle pleurait*. Abidjan : Frat-Mat.
—— 2012. *Enchaînée pour l'amour d'un homme*. Abidjan : Les classiques ivoiriens.
—— 2013 [2007]. *Le lit est tout le mariage*. Abidjan : Frat-Mat.
Bohème, Eric. 2001. *Zone 4*. Abidjan : Frat-Mat.
Bourdieu, Pierre. 1998. *La Domination masculine*. Paris : Seuil.
Borgomano, Madeleine. 2001. « L'affaire Calixthe Beyala ou les frontières des champs littéraires ». In : Fonkoua, Romuald, Halen, Pierre & Städtler, Katharina (Dir.). *Les Champs littéraires africains*. Paris : Karthala. 243-258.
Conseil nationale de la presse. 2014. « Statistiques de vente 2014 ». *www.lecnp.ci*, 20 janvier (http://www.lecnp.com/publication/ca_2013.pdf; accédé le 20 juillet 2014).
Dadié, Bernard. 1970a. *Monsieur Thôgô-gnini*. Paris : Présence Africaine.
—— 1970b. *Béatrice de Congo*. Paris : Présence Africaine.
Delas, Daniel. 2013. « Langues et langages dans *Les Soleils des Indépendances* ». *Textuel*, 70 (*Sous* Les Soleils des Indépendances. *À la rencontre d'Ahmadou Kourouma*) : 57-62.
Deleuze, Gilles & Guattari, Félix. 1975. *Kafka. Pour une littérature mineure*, Paris : Minuit.
Diakité, Ibrahima. 2013. *Le Livre et son public en Côte d'Ivoire*. Abdijan : Université Félix Houphouët-Boigny [Thèse de doctorat en communication].
Dobla, Aimé Donatien. 2013. *Rumeur sociale et canon romanesque. Isaïe Biton et l'institution littéraire en Côte d'Ivoire*. Abidjan : Université Félix Houphouët-Boigny [Mémoire de Master].
Durand, Gilbert. 1992. *Les Structures anthropologiques de l'imaginaire*. Paris : Dunod.
Fanny-Cissé, Fatou. 2013. *Une femme, deux maris*. Abidjan : NEI-CEDA.
Fonkoua, Romuald, Halen, Pierre & Städtler, Katharina (Dir.). 2001. *Les Champs littéraires africains*. Paris : Karthala.
Goli Bi, Irié Mathurin. 2013. *La Lycéenne*. Abidjan : Matrice.
Halen, Pierre. 2001. « Notes pour une topologie institutionnelle du système littéraire francophone ». In : Diop, Papa Samba & Lüsebrink, Hans-Jürgen

(Dir.). *Littératures et sociétés africaines. Regards comparatistes et perspectives interculturelles. Mélanges offerts à János Reisz.* Tübingen : Günter Narr Verlag. 55-67.

Kadi, Germain-Arsène, *Le Champ littéraire africain depuis 1960. Roman, société et écrivains ivoiriens*. Paris, L'Harmattan, 2010.

Khioud, Sakanoko. 2012. *Le Tueur de Koumassi*. Abidjan : NEI/CEDA.

Komoé, Mesmin. 2009. *Reine de la rue princesse*. Abidjan : Les classiques ivoiriens.

Koné. Amadou. 1980. *Sous le pouvoir des blakoros. Traites*. Abidjan : NEA.

—— 1982. *Sous le pouvoir des blakoros. Courses*. Abidjan : NEA.

Kourouma, Ahmadou. 1970 [1968]. *Les Soleils des indépendances*. Paris : Seuil.

Mouralis, Bernard. 1975. *Les Contre-littératures*. Paris : PUF.

Mouralis, Bernard & Fraisse, Emmanuel. 2001. *Questions générales de littérature*. Paris : Seuil.

Ndiaye, Christiane. 2009. « Enjeux des genres populaires dans les littératures francophones ». *Palabres*, XI-1 : 7-16.

N'goran, David K. 2007. « La Savoir africain et ses formes : Yambo Ouologuem nomothète ». *Baobab*, 0 (http://www.revuebaobab.org/images/pdf/baobab0/ngoran_david%20.pdf ; accédé le 20 juillet 2014).

—— 2009. *Le Champ littéraire africain. Essai pour une théorie*. Paris : L'Harmattan.

—— 2012. « 50 ans de littérature ivoirienne, petite histoire de la conscience nationale ». *Baobab*, numéro spécial (*50 ans de littérature, 50 ans de postcolonie*) : 33-40. (http://www.revuebaobab.org/images/pdf/album50/album04.pdf ; accédé le 20 juillet 2014).

Ouologuem, Yambo. 1968. *Le Devoir de violence*. Paris : Seuil.

—— 1969. *Lettre à la France nègre*. Paris : Nalis.

Porquet, Niangoran. 1978. *Mariam et griopoème*. Paris : Oswald.

—— 1985. *Zaoulides*. Abidjan : CEDA.

Volet, Jean-Marie. 2001. « Interview d'Isaïe Biton KOULIBALY réalisée par e-mail » (http://aflit.arts.uwa.edu.au/BitonCV.html ; accédé le 20 juillet 2014).

YS. 2013. « Dédicace/Anzata Ouattara se fâche : "nous ne faisons pas de la sous-littérature" ». *Le Patriote*, 31 juillet (http://news.abidjan.net/h/466876.html; accédé le 20 juillet 2014).

Zadi Zaourou, Bernard. 1975. *Fer de lance*. Honfleur : Oswald.

# Le devoir de traduction. Pourquoi traduire un roman zoulou

Michel Lafon (Université de Pretoria)

**Abstract**

*A propos the translation from Zulu to French of Mathews Mngadi's debut novel* Asikho ndawo bakithi *(*We are done with, people*), the paper argues in favour of translation of literature written in African vernacular languages, and dismisses its perception as mere didactic literature. In post-apartheid South Africa, its capacity of bearing witness to issues central to the life of Black people cannot be overestimated.* Asikho*, among other texts, centers on the lack of accommodation in townships for ordinary black people and the attending miseries and purposeless violence visited upon them as a consequence, culminating in the destruction of entire families and the negation of the social ethos as they find themselves at the mercy of slum lords. The author places the blame squarely on Apartheid selfish policies, not shying away though from denouncing misguided political lines among Black people. The strength of this testimony largely outweighs a somewhat artificial register which still reflects the purist norms set by the erstwhile language boards, making the text at times a challenge for today's readers. Translating, it is argued, is a condition for creative writing in African languages to proceed, and can be a trigger to innovate, so as to reach out to the potential 'born-free' readership.*

**Keywords** : African language literature ; isiZulu ; South Africa ; apartheid ; civil war ; 1980's ; Durban

**Mots Clés** : Littérature en langues africaines ; le zoulou ; Afrique du Sud ; apartheid ; guerre civile ; années 1980 ; Durban

Dans cet article, je me propose d'examiner les raisons sous-jacentes à la traduction que j'ai menée d'un roman zoulou, en l'occurrence *Asikho ndawo bakithi*, de Mathews Mngadi, publié en 1996 (Mngadi 1996)[1]. Pourquoi traduire un roman d'une langue africaine, et spécialement sud-africaine, vers le français ? Cette question peut se dédoubler. D'une part, pourquoi traduire du zoulou ? De l'autre, pourquoi un sociolinguiste entreprend-il une telle traduction ? Enfin, pourquoi ce type de roman en particulier ? Une réponse extensive nous amène à examiner, brièvement, les dimensions historique, sociale, politique et linguistique de la littérature romanesque écrite en langues sud-africaines. Je n'entrerai pas ici dans une analyse du roman en question, aspects que je réserve pour un autre article, non plus que dans les modalités techniques de ce travail.

## Essai de définition du champ

Tout d'abord un point de définition. Contrairement sans doute à ce que voudrait le politiquement correct, je n'assimile pas oral et écrit et ne vois pas de l'écrit dans ce qui n'en est pas, non pour établir une hiérarchie qui n'a pas lieu d'être mais pour constater des spécificités, liées, ce me semble, au médium, spécificités finalement définitoires de l'objet même. Cela exclut également les représentations symboliques et/ou iconiques. Je ne suis concerné ici que par la littérature écrite, laquelle implique ce qu'il est convenu d'appeler littéracie, entendue comme la capacité socialement partagée d'encoder et décoder la langue parlée pour aboutir à sa représentation écrite, manifestée dans des textes capables, par hypothèse, d'exprimer l'intégralité de l'expérience

[1] La traduction devrait sortir chez Anibwe, Paris, courant 2014 (http://www.anibwe.com/).

humaine, autant du moins que l'oral le peut[2]. La littérature écrite se définit alors comme un texte pensé pour l'écrit, dont l'écrit a été la manifestation originale, première sinon unique. Sont exclus par là-même les recueils renvoyant à la tradition orale – poésie de louange, contes, devinettes, récits historiques, mythes cosmologiques, etc. – qui, en Afrique et ailleurs, ont de longue date intéressé missionnaires, voyageurs, administrateurs chercheurs et étudiants et dont moult ont été transcrits et traduits, avec plus ou moins de bonheur (Chinweizu, Onwuchekwa & Ihechukwu 1980 : 84). Contrastent ainsi fort justement littérature écrite, pour laquelle le document central est le texte lui-même et orature où c'est la performance qui est centrale. Même lorsque la transcription d'un texte oral a été remaniée en fonction du médium écrit, ce texte relève, à mon sens, d'un autre registre.

## Paucité des traductions romanesques de langues sud-africaines

La traduction d'une œuvre littéraire, de toute langue vers toute autre, est légitime. Comment apprécier autrement les littératures de l'infinité des langues dont on n'est pas, sinon locuteur natif, du moins locuteur de bon niveau, souvent par apprentissage scolaire ?

Pourtant, on constate que, pour ce qui est des langues africaines d'Afrique du Sud (désormais langues sud-africaines)[3] en tous cas, relativement peu d'écrits originaux dans l'acception ci-dessus,

---

[2] Graff (1987a, 1987b) démontre à propos des sociétés occidentales que la perception de la littéracie est liée au contexte socioculturel, soit au moment historique, et qu'elle a varié dans le temps et l'espace.

[3] *Stricto sensu* « langues sud-africaines » devrait inclure aussi afrikaans et anglais, voire gujurati et hindi. Il importe toutefois d'établir un distinguo entre langues indigènes et langues d'origine allogène, ici européenne ou indienne ; j'emploie « langues sud-africaines » spécifiquement pour les premières.

notamment de romans, ont été traduits, et encore moins de la période récente. Cela est regrettable car ces textes, comme d'ailleurs l'ensemble des littératures africaines d'expression française, anglaise ou portugaise, offrent souvent une vue subtile, de l'intérieur, du quotidien de sociétés minées par le colonialisme et ses succédanés et portent témoignage des adaptations ingénieuses à un état durement subi. En outre, compte-tenu du rôle que jouent sur le continent les langues européennes, il n'y a pas pénurie de traducteurs potentiels. Comment la rareté des traductions s'explique-t-elle ? Deux facteurs viennent à l'esprit : la relative ignorance de l'existence de ce corpus, et surtout la piètre réputation dont il souffre. Gérard l'indique sans détour : « Très souvent, c'est une littérature d'instituteurs faite pour des écoliers [dont] les représentants témoignent de plus de bonne volonté que de talent » (Gérard 1976 : 152). Même si cette critique, pour ce qui est des langues sud-africaines du moins, ne paraît pas entièrement infondée (Maake 2000 : 128), elle doit être nuancée. Pour en faire justice, il importe de situer la littérature écrite d'Afrique du Sud dans son contexte socio-historique. Un écrivain contemporain en langues sud-africaines se situe en effet en aval d'un long parcours, inscrit dans l'histoire tourmentée du pays, et qui se trouve en outre à un tournant[4].

## Bref aperçu historique de la littérature en langues sud-africaines

Si l'on décompte les pratiques scripturaires de l'Éthiopie ainsi que les écrits *ajami* d'Afrique occidentale et orientale, qui sont restées, comme le remarque Gérard (1976 : 150) aux franges du continent, tout en secrétant des problématiques *sui generis*, l'Afrique noire dans son ensemble ne disposait pas avant la

[4] Pour l'histoire de l'Afrique du Sud, on peut se reporter à Fauvelle-Aymar (2006) qui traite d'ailleurs amplement de l'histoire littéraire. Sur la politique linguistique en général, voir (Lafon 2004).

colonisation de culture écrite, du moins dans l'acception traditionnelle du terme. Le sociolinguiste sud-africain Neville Alexander suggère d'ailleurs que cela ne saurait avoir été étranger à l'ampleur de l'emprise de la domination culturelle occidentale (Alexander 2000 : 10). Pour autant, loin de clichés qui, il est vrai, commencent à se faner, la littérature écrite en langues africaines n'est ni exceptionnelle ni uniquement de facture contemporaine. Certaines langues en montrent une tradition déjà ancrée. Nous cantonnant, comme il a été dit, à l'écrit en caractères latins, ce sont essentiellement l'actuelle Tanzanie (ci-devant Afrique de l'Est allemande), le Nigeria en Afrique occidentale et l'Afrique du Sud qui viennent à l'esprit[5]. Leur histoire présente des spécificités nationales dues à une conjonction accidentelle de facteurs, pas toujours identiques d'un territoire ou d'une zone à l'autre, essentiellement l'action éducative des missionnaires et des pouvoirs coloniaux, d'une part, et les héritages propres, de l'autre[6].

*La période missionnaire*

Dès la prise de possession britannique en 1806 de ce qui deviendra l'Afrique du Sud[7], les missionnaires, en majorité protestants qui s'installèrent, s'attachèrent à instrumentaliser les langues, c'est-à-dire, outre les identifier, les décrire et les classifier, créer des alphabets et des systèmes d'écriture pour

---

[5] Depuis Gérard (1976), cette littérature a fait l'objet de diverses études. Ricard (2004) traite de son émergence. Garnier et Ricard (2006) envisagent spécifiquement l'émergence du roman.

[6] Par éducation, bien entendu, on n'entend pas uniquement éducation scolaire. Mais, pour ne pas impliquer la littéracie, les pratiques établies de longue date par les communautés africaines ne nous concernent pas ici.

[7] Sous la période hollandaise, l'action des missionnaires dans ce domaine peut être considérée comme négligeable, même si les bases de la littéracie en xhosa avaient été posées par Van der Kempt (Cuthbertson 1989) et (Elbourne 1991).

traduire Bible et autres textes à visée prosélyte. Ils encouragèrent aussi la production écrite parmi les noyaux de convertis qui gravitaient autour des missions. L'action des missionnaires était intéressée. Il s'agissait pour eux de disposer de textes linguistiquement authentiques pour fonder un enseignement de, et en, langue. Le roman leur paraissait un genre particulièrement approprié car pouvant aisément être tourné de façon édifiante, à la manière du fameux roman allégorique de Bunyan traduit dans de nombreuses langues du monde (Gérard 1976, 151 ; Hofmeyr 2004), et également parce que le roman était vu comme caractéristique de la société bourgeoise européenne qu'ils ambitionnaient d'universaliser. À l'instar de ce qui se passait en Europe, les romans étaient souvent publiés en feuilletons dans la presse. Pendant longtemps, grâce au monopole des presses d'imprimerie qu'ils détenaient, les missionnaires furent à même d'imposer leurs vues et de contrôler toute publication quant à son contenu, sinon sa forme. Pour recevoir l'imprimatur, les textes devaient exprimer les valeurs de la morale chrétienne telle qu'ils l'entendaient, ou du moins, ne pas paraître en contradiction avec celle-ci. Des ouvrages, sinon des talents, de grande valeur en furent victimes, en témoigne l'extraordinaire *Shaka* de Mofolo, écrit en sotho en 1910 mais gardé sous le coude pendant une quinzaine d'années par les responsables de la Mission évangélique de Paris pour ne pas refléter les idéaux chrétiens. Lorsque l'un d'entre eux prit sur lui de le publier, bravant la pusillanimité de ses collègues, et malgré les coupes sévères qui avaient été pratiquées, une controverse s'ensuivit (Couzens 2003 ; Sévry 2009 : 80). Ce retard eut raison semble-t-il de la patience de l'auteur qui quitta la mission et remisa définitivement sa plume. Pourtant, une fois publié, preuve s'il en est de sa qualité, *Shaka* devait connaître plusieurs éditions successives locales, avant que des traductions en anglais en 1931 puis en français en 1940 ne lui assurent une renommée internationale, en en faisant l'une des œuvres emblématiques de la période, contribuant puissamment à la construction du mythe de

Shaka (Sévry 1991). La littérature écrite en xhosa connut aussi son enfer, les presses de Lovedale contrôlées par la Glasgow Mission Society se montrant d'une rigueur inflexible. En pâtirent en particulier l'auteur xhosa Mqhayi et le romancier et politicien sotho Sol Plaatje (Sévry 2009 : 27). Nous ne connaîtrons jamais les chefs-d'œuvre qui, peut-être, furent ainsi étouffés, d'autant plus que certains textes, qui échappèrent aux censeurs mais qui furent publiés de façon confidentielle, n'ont pas été conservés (Oppland 2006). Pour autant, l'écrit en zoulou ne paraît pas avoir souffert de la même manière. Certes, l'un des premiers textes authentiques, rédigé dès le début du XX$^{\text{ème}}$ siècle, dut attendre 1922 pour se voir publié (Fuze 1979) et il ne le fut que grâce à l'intercession de l'une des filles de l'évêque Colenso, farouche défenseur au XIX$^{\text{ème}}$ siècle de l'intégrité du royaume zoulou (Guy 2002). Mais il semble que ce retard ait davantage à voir avec le climat politique agité à la suite de la « rébellion » de Mbambatha de 1906, qu'avec une censure *ad hominem*.

Dire que l'existence de ces littératures écrites en langues africaines est due largement à l'action des missionnaires n'est pas nier que les textes alors produits s'enracinaient souvent – comment aurait-il pu en être autrement ? – dans des traditions et des pratiques culturelles endogènes pré- et co- existantes. Cet héritage a été souvent souligné, comme l'illustre le titre même de l'ouvrage de Msimang *Folktale Influence on the Zulu Novel* (1986). Les romans de cette période écrits en langue africaine se trouvent ainsi à la confluence de deux traditions[8]. Sans doute cela

[8] Pour une étude spécifique des prémices des littératures en langues sud-africaines, voir Ntuli & Swanapoel (1993). La somme de Sévry (2009) tout comme celle plus ancienne de Chapman (1986) présentent de façon extensive la littérature de ce pays voire de la région dans une perspective inclusive, tant pour ce qui est des langues, puisqu'y figurent de plein droit anglais et afrikaans à côté des langues africaines, que pour les registres, puisque incluant, pour ce qui est des langues africaines, la littérature orale.

explique-t-il la prépondérance pour le zoulou de récits historiques, tels Fuze déjà cité ou le roman historique de Dube, *UJeqe, Insila kaShaka* (*Jeqe, le valet de Shaka*), paru en 1930, traduit en 1951 (Dube 2008). Maake considère pourtant que la littérature en langues africaines naquit *en dépit des* missionnaires plutôt que grâce à eux (Maake 2000 : 135). Sans doute est-ce là un point de vue trop tranché. Ces ébauches constituent finalement les prémices d'une véritable pratique littéraire endogène, qui relève de la part de ses auteurs, comme le remarquent Garnier et Ricard (2006 : 10), d'un pari sur les dynamiques sociales. Avec l'urbanisation la dépendance envers les missionnaires s'affaiblit. Ainsi, le journaliste, pédagogue et politicien sud-africain Jabavu, qui avait été éditeur d'un organe de la presse missionnaire *Isigidimi*, se sépara de la mission pour lancer dès 1884 sa propre feuille, *Imvo zabatsundu* (*Native Opinion*), de façon à pouvoir exprimer ses vues politiques sans contrainte (Sévry 2009 : 79)[9]. Peu à peu, une littérature écrite authentique prenait son essor en se dégageant des carcans imposés par les missionnaires, stimulée par ailleurs par l'expansion du système éducatif consécutif à la proclamation de l'Union sud-africaine en 1910, une fois achevée la guerre « sud-africaine » (ci-devant guerre Anglo-Boer)[10]. Cette période correspond au « moment colonial » de la chronologie de Garnier et Ricard (2006). Les subventions à l'éducation scolaire des Africains dont les missions restaient les principaux pourvoyeurs augmentèrent, alors que l'usage des langues vernaculaires africaines devenait la norme, à l'instar de ce qui avait été mis en place dans la colonie du Natal où depuis1875 le zoulou était obligatoire dans les écoles fréquentées par les Africains (Behr 1978). Cela eut pour conséquence non négligeable de diffuser considérablement la

[9] Jabavu, cela n'est pas sans incidence sur sa position, était aussi en rupture de ban avec ses pairs de l'ANC naissante car il ne rejetait pas le *Land Act* de 1913 (Ndletyana 2008).

10 Sur la politique de langue dans l'éducation voir entre autres Alexander (1989, 2003), Moyo (2002), Lafon (2012).

littéracie en langues africaines et d'impulser un développement littéraire prometteur. Dès 1921 Jabavu pouvait offrir une recension critique des textes parus dans les quatre langues les plus développées et au poids démographique le plus fort du pays, soit, le xhosa, le sotho, le tswana et le zoulou. La littérature écrite en langues sud-africaines connut ainsi une véritable apogée dans les années 1930. Les auteurs, membres d'une intelligentsia biculturelle naissante, étaient quasiment tous politiquement engagés (Mzamane 1979 ; Sevry 2009) et leurs écrits, tant en anglais qu'en langues africaines, ne laissaient de dénoncer les conditions faites aux Africains, évoquant souvent en contraste la vie traditionnelle précoloniale. L'écrit en langues africaines paraissait pleinement apte à exprimer les luttes des communautés et à les mobiliser[11]. Il n'est pas anodin que trois figures de proue de l'ANC naissante[12], Sol Plaatje déjà mentionné, Walter Rubusana et John Dube, aient été des écrivains bilingues anglais-sotho, anglais-xhosa et anglais-zoulou respectivement (Maake 1992 : 65). La représentation de cette intelligentsia par Alexander comme des *Blacks Englishmen* au parti pris anglophone et anglophile ne prend pas, semble-t-il, la pleine mesure de la diversité de ses membres (Alexander 2003: 9). Dans les années 1930, le Chef Albert Luthuli, longtemps enseignant à l'école secondaire Adams College de l'*American Zulu Mission*, qui devait devenir le prestigieux président de l'ANC dans les années 1950, avait pu se prononcer sans ambiguïté en faveur de l'utilisation des langues maternelles africaines avant que leur instrumentalisation raciste sous l'apartheid ne l'amène à nuancer sa position (Luthuli 2006 : 21 ; Rich 1995).

*L'effet délétère de l'apartheid*

---

[11] Il exprimait aussi les intérêts commerciaux, comme une étude des réclames en xhosa parues dans *Imvo zabatsundu* le démontre (Dowling 2013).

[12] L'ANC (African National Congress) avait été fondé en 1912 pour rassembler les Africains face au pouvoir colonial.

Mais les graines semées n'eurent pas le loisir d'éclore. L'écrit en langues sud-africaines se trouva bientôt empêtré dans les rets de la politique linguistique et éducative de l'apartheid. Les élections de 1948 où, à l'exception d'une infime élite africaine ou métisse « assimilée » de la province du Cap, seuls les Européens avaient participé, donnèrent le pouvoir au parti national qui préconisait le « développement séparé » (apartheid). L'éducation était au cœur de son projet. Il échut à Eiselen, fonctionnaire de l'administration du Transvaal, d'élaborer des recommandations sur les modalités de l'éducation destinée aux Africains. Ce dernier, fils de missionnaires d'origine allemande, qui avait grandi en zone rurale, était un anthropologue et un linguiste reconnu, expert du sepedi (sotho du nord) qu'il pratiquait. Il était acquis aux thèses culturalistes en vogue qui assimilaient langue, culture et groupe ethnique, perçues comme immanents. Pour assurer la stabilité sociale et par voie de conséquence le bonheur des intéressés (et aussi cela va sans dire des « patrons » européens), il convenait de préserver la « pureté » des différents groupes ethniques et de leur mode de vie. Ses recommandations, devenues lois en 1954, imposaient aux populations africaines un système éducatif racialisé, connu sous le nom de *Bantu Education*. C'en était fini de la scolarisation multiraciale et du cursus commun, qui avaient cours au moins dans le secondaire. Les Africains, désormais interdits de cité dans les écoles blanches, se voyaient condamnés à une éducation inférieure puisque, dans la société stratifiée envisagée par les thuriféraires de l'apartheid, ils étaient destinés « par nature » aux emplois de basse catégorie et sans prestige[13]. Kros (2010) montre à quel point la *Bantu Education*, loin de n'être qu'une application périphérique de la politique de ségrégation, en constitua l'un des principaux piliers. Dans le même temps, l'accès à l'éducation fut progressivement élargi, de sorte que peu d'enfants africains y échappaient. Avec la mise en place progressive des

[13] Certains militants parlaient même de *slave education*.

bantoustans ou *homelands*, la langue parlée devint centrale puisque fondant l'appartenance ethnique et donc le rattachement administratif des individus. Pour les Africains résidant en zone urbaine souvent réticents à se déclarer de telle ou telle ethnie, ce fut souvent la variété qu'ils parlaient qui constitua, aux yeux de fonctionnaires européens, le critère déterminant. Le recours systématique aux langues maternelles dans l'éducation, pour valable qu'il soit pour l'enfant – et le régime ne manqua de se revendiquer de la déclaration de l'Unesco de 1953 sur l'usage des langues maternelles – s'inscrivit donc, pour les Africains, dans le cadre et d'une baisse de niveau et de la balkanisation du pays. En outre, une censure sévère s'appliqua aux textes en langue africaine. Pour mériter leur inscription aux programmes, les productions se devaient, naturellement, d'exclure toute critique, même voilée, de la colonisation et plus encore de l'apartheid, mais aussi d'exprimer une vision statique et essentialiste des cultures africaines, exaltant les valeurs rurales traditionnelles. En outre, dans une période d'un moralisme pesant qui s'appliquait aussi aux ouvrages en langues européennes et aux films (Maake 2000 : 142) au nom de la lutte contre la pornographie, toute allusion aux réalités de la vie, notamment à la sexualité, était bannie.

Comme l'ont relevé de nombreux commentateurs, entre autres N. P. Maake (1992) et Swanapoel (1998), l'impact de la *Bantu Education* sur la littérature en langues africaines fut paradoxal. Il en stimula incontestablement la production par l'extension du marché solvable, les matériaux d'enseignement étant, partiellement au moins, financés par l'État, tout en étouffant toute spontanéité et originalité, au point de rendre les publications en langues africaines à priori suspectes aux secteurs en pointe du combat politique. De fait, les ouvrages en langues africaines de cette période ont la réputation d'être ternes, écrits qu'ils furent pour le marché scolaire contrôlé, leurs auteurs confinés dans un « ghetto culturel », pour reprendre un terme de Sévry (2000 : 92). La censure priva en effet la littérature en langues africaines de textes enracinés dans les problématiques de l'époque. Cela renforça la position de l'anglais, puisque l'anglais permettait, en publiant à l'étranger, à la fois d'échapper à la censure et d'accéder à un lectorat plus vaste. Les années 1950 furent d'ailleurs celles de l'apogée des productions littéraires anglophones venant d'auteurs africains, ce que l'on a appelé la *Drum Generation* du nom d'un magazine emblématique de la période. La pression politique croissante en eut toutefois raison et nombre d'écrivains africains, comme Es'kia Mphahlele ou Lewis Nkosi, s'exilèrent[14]. Sans nul doute d'autres se découragèrent. Pourtant les contraintes multiples pesant sur la littérature en langues africaines n'empêchèrent pas l'éclosion de quelques chefs-d'œuvre. Un exemple fameux pour ce qui est du zoulou est *Inkinsela yaseMgingudlovu* (*Le Richard de Pietermaritzburg*) paru en 1961, de l'écrivain et grammairien zoulou Nyembezi, classique qui mérite largement sa place au panthéon sud-africain du roman et qui d'ailleurs reste incontournable dans les programmes scolaires 20 ans après la fin de l'apartheid. L'ouvrage dut toutefois attendre 2008 pour connaître une traduction anglaise, *The Rich Man of Pietermaritzburg* (Nyembezi 2008).

### *La littérature en langues sud-africaines manque le rendez-vous de la transformation*

Avec le démantèlement de l'apartheid en 1994, toutes les dispositions explicitement racistes disparurent. Cela s'appliqua naturellement à l'éducation et la *Bantu Education* fut abolie. Le pays, selon le maître mot de l'époque, se transformait. Toutefois la transformation linguistique est restée largement en panne. À propos de la littérature en langues africaines de l'immédiat post-apartheid, Sévry parle ironiquement d'un « silence noir » (2000 : 94). Son

14 Es'kia Mphahlele, auteur célébré de *Down Second Avenue* (1959), narre son exil dans *Wanderers* (1971).

renouveau se heurte en effet à deux obstacles majeurs : le lectorat d'une part, les habitudes et les pratiques, de l'autre. L'un comme l'autre renvoient au système éducatif.

Malgré des dispositions ambitieuses dans la Constitution de 1996 et dans les règlements régentant l'éducation – dès 1996, il est recommandé aux écoles d'enseigner une langue africaine aux fins de communication jusqu'au grade 9, soit, la fin de la 3ème – les langues africaines restent incontestablement marginalisées. Au terme de la règlementation actuelle[15], deux langues, prises parmi les onze langues officielles, sont obligatoires, l'une d'entre elles étant la langue d'instruction. Anglais et afrikaans restent la paire de langues la plus largement enseignée, nonobstant les réalités démographiques et culturelles du pays. Or l'acquisition de la littéracie, qui se produit normalement durant le parcours scolaire, est fondamentale pour la diffusion (et la production) de la littérature écrite.

Effet prévisible sans doute de l'abolition des barrières raciales et de la privatisation partielle des établissements, on assiste depuis 1994 à une véritable ruée des élèves africains de familles disposant de revenus monétaires au moins modestes, vers les écoles anciennement réservées aux Européens ou aux Asiatiques (On parle d'écoles anciennement modèle-C). Ces écoles, qu'elles soient entièrement privées ou relevant du système public, exigent des frais de scolarité, qu'elles fixent de façon quasi-souveraine. Elles sont perçues comme fonctionnelles. Elles scolariseraient environ 30% de l'effectif total, toutes « races » comprises. Dans leur immense majorité, et malgré les injonctions des pouvoirs publics, réitérées en 2013, elles n'offrent aucune langue africaine, à aucun titre,

[15] En 2013, le ministère a stipulé qu'une langue africaine devrait être enseignée à partir de 2015 dans toutes les écoles. La même année, l'Université de KwaZulu-Natal (UKZN) a rendu une connaissance minimum du zoulou obligatoire pour obtenir un diplôme. Mais ces mesures sont trop récentes pour qu'on puisse juger de leur impact.

s'appuyant sur la disposition législative qui charge le comité d'établissement (*School Governing Body*) de définir la politique de langue. L'afrikaans, ou plus rarement l'anglais dans le cas des quelques écoles enseignant en afrikaans, est alors la seconde langue.

Les langues africaines, en revanche, figurent pleinement dans les écoles qui relevaient autrefois de la *Bantu Education*, soit, les écoles des townships et des zones rurales appauvries des anciens Bantoustans, ainsi que celles édifiées récemment dans ces mêmes zones, que j'appelle, faute d'un terme reçu, « écoles ordinaires ». Elles servent en principe de langue d'instruction durant les trois premières années puis y sont enseignées comme matière, jusqu'à l'examen final de sortie de secondaire, le *matric* (Lafon 2012). Ces écoles sont largement vues comme dysfonctionnelles – manque de moyens, classes surchargées, faible professionnalisme des enseignants, indiscipline, violence, qualité de l'enseignement sujette à caution, etc.

Les résultats au *matric* (équivalent du baccalauréat) confirment amplement cette dichotomie, puisque seul un nombre infime d'écoles ordinaires peuvent rivaliser avec les écoles ex-modèle C (Bloch 2009 : 59). Les choix des parents se voient pleinement justifiés. Qui ne ferait son possible pour assurer l'avenir de sa progéniture ? Et cette situation a une autre conséquence pernicieuse. L'utilisation des langues africaines est devenue constitutive de la dichotomie qui divise les établissements, ce qui renforce le stigmate négatif qui déjà la grève. Non seulement les langues africaines ne sont pas jugées pertinentes pour la vie moderne et ne relèvent au mieux que du champ personnel et affectif, mais elles sont associées, à travers les écoles dysfonctionnelles, à l'échec scolaire, sinon à la délinquance. C'est d'ailleurs un argument souvent avancé par les directeurs d'écoles ex-modèle C accueillant des élèves africains qu'introduire une langue africaine revient à ouvrir la porte aux comportements déviants qui, dans la représentation dominante, caractérise la jeunesse des townships. L'utilisation des langues africaines dans l'éducation reste donc largement tributaire de l'ombre portée de l'apartheid.

Cela obère à plusieurs titres l'avenir de la littérature en langues africaines. Contrairement à la période antérieure, une partie notable de la jeunesse africaine, celle qui a fréquenté les écoles ex-modèle-C, n'étudie pas formellement de langue africaine. L'expérience montre que, même si ces jeunes conservent en général une connaissance orale des langues africaines, ils n'ont pas accès à l'écrit et ne sont donc pas familiers avec la littérature. Pourtant c'est essentiellement parmi ce contingent, issu de milieux plus aisés, que pourrait émerger un public susceptible d'acheter, de lire, de commenter et de faire évoluer la littérature. Quant à la jeunesse formée dans les écoles ordinaires, il ne semble pas que, dans sa majorité, elle ait acquis des habitudes de lecture, pas plus d'ailleurs en anglais qu'en langue africaine. La chute considérable des crédits affectés aux bibliothèques scolaires après 1994, déplorée par Van der Merwe (2001 : 128) a joué un rôle. Les contenus d'ailleurs ne le favorisent pas. Selon Khuboni *et al.* (2013) les manuels en langue africaine sont intellectuellement moins stimulants et plus routiniers que leurs équivalents en anglais. Loin de faire appel à la richesse culturelle des langues africaines, en partie parce que leur instrumentalisation durant l'apartheid continue de les rendre suspectes, il s'agit souvent de traductions mal adaptées d'ouvrages anglais ; lorsque ce sont des œuvres originales, il est souvent difficile de déceler une inspiration quelconque (Maake 2000 : 128).

Et il y a l'épineuse question des normes ou variétés de référence, qui renvoie à l'œuvre linguistique des premiers missionnaires et administrateurs coloniaux. Pour des raisons qui n'avaient pas toujours à voir avec une rationalité linguistique, les missionnaires linguistes avaient tantôt regroupé tantôt séparé des parlers proches. Si la proximité entre les langues nguni (xhosa et zoulou essentiellement) avait été reconnue d'entrée de jeu, avalisée par un comité commun qui dessina des orthographes compatibles, il n'en alla pas de même pour le groupe sotho-tswana. Là, les hasards des implantations missionnaires et la distance entre celles-ci se conjuguèrent à la compétition entre les congrégations et les individus et à l'esprit de clocher pour maintenir des graphies profondément distinctes, y compris pour des parlers très proches et mutuellement intelligibles. Les avatars des divisions administratives vinrent conforter cette tendance qui fut aggravée sous l'apartheid. Les efforts de rapprochements orthographiques dans les années 1930 firent long feu. Dans la perspective de la constitution des Bantoustans, il fallait que chacun de ces territoires disposât d'une variété langagière propre, autant dissemblable des autres que possible. Pour ce faire, en 1961, les comités linguistiques communs de l'ère antérieure, désormais placés sous la tutelle du ministère en charge de la *Bantu Education,* furent scindés. Apparurent, à mesure de la proclamation des territoires, autant de comités particuliers : trois, puis quatre (xhosa, zoulou, ndebele puis swati) pour les langues nguni, trois (tswana, sesotho, pedi) pour le groupe sotho-tswana, auxquels s'ajoutèrent les comités venda et tsonga. Ces comités, actifs en terminologie, s'attachèrent à maximaliser les divergences entre langues proches en proposant systématiquement des termes différents. Par ailleurs, les comités adoptèrent une optique puriste qui ignorait les réalités des échanges linguistiques dans les zones urbaines où, du fait de l'exode rural, les langues se mélangent et se réinventent constamment. Ces positions, relayées dans le curriculum, contribuèrent à ancrer la carte linguistique dans les institutions comme dans les représentations. Puisque les comités définissaient souverainement les normes linguistiques, les auteurs, pour voir leur ouvrage retenu (Heugh 2000 : 104) n'avaient d'autre choix que d'obtempérer. D'où l'emploi d'une langue figée, reflétant un canon outrepassé et aussi de termes artificiels forgés pour rendre les nouvelles réalités. On peut parler de variétés livresques ou scolaires. Garnier et Ricard

(2006 : 20) considèrent que, ne pouvant s'appuyer sur une tradition établie, les auteurs africains contribuent souvent à la fixation d'une langue fluide. Cette analyse ne reflète pas le cas des langues munies de comités à pouvoir décisionnaire. Or, si les comités ont été renouvelés, le particularisme et le purisme paraissent s'être largement maintenus, comme le réalisa à son grand dam Alexander lors de l'instauration de la démocratie. La reprise par Alexander d'une proposition émise par Nhlapho dans les années 1940 (Nhlapo 1944, 1945) d'harmonisation orthographique à l'intérieur des groupes nguni d'une part et sotho-tswana de l'autre déclencha une durable levée de boucliers. Alors que se font jour des revendications d'autonomie linguistique, au sein notamment de la nébuleuse du sotho du nord (sepedi), l'harmonisation orthographique du sotho-tswana est bloquée par l'irrédentisme du Lesotho, le royaume voyant dans la pérennisation de sa graphie historique la garantie symbolique de son indépendance vis-à-vis du puissant voisin. Tout cela maintient, malgré la similarité indéniable des langues, la parcellisation du marché potentiel, déjà modeste.

Malgré certaines avancées dans les domaines administratifs, le développement terminologique, indispensable pour que les langues africaines puissent se voir employées dans les domaines modernes, des sciences à la banque, est en panne. Dans les sciences en particulier, des polémiques byzantines continuent d'opposer puristes, qui veulent des termes « indigènes », aux pragmatiques, ouverts aux emprunts, alors que les comités *ad hoc* et Pansalb ne parviennent à se faire entendre. Sans une action forte des pouvoirs publics, on ne perçoit ici aucune issue.

Pendant que les langues écrites stagnent, ce sont des variétés mixtes orales qui se répandent parmi la jeunesse urbanisée, jouant un rôle puissant de marqueurs identitaires. Ces variétés sont caractérisées par des influences mutuelles à tous les niveaux et le recours systématique aux emprunts à l'anglais. On distingue le zoulou urbain du Gauteng, le sotho de Pretoria, etc., ainsi que des parlers au statut incertain – langues autonomes ou registres d'une langue standard ? – tels le tsotsitaal, langue des gangs des townships du Gauteng basé sur l'afrikaans, l'isicamtho, basé lui sur le zoulou urbain, et d'autres[16]. Cette fluidité met à mal la conception des langues comme des univers fermés. Ces koinès modernes tendent, depuis environ une cinquantaine d'années, à devenir les langues principales des townships. Ne disposant d'aucune reconnaissance officielle, non standardisées, rarement écrites, ces variétés instables varient d'un quartier à l'autre sans nécessairement mettre en cause l'intercompréhension. Certaines observations suggèrent que ces « interlectes » seraient devenus langues maternelles de jeunes, qui, avant les apprentissages formels de l'école, ne distingueraient pas une langue de l'autre[17]. Mais le purisme en vigueur, défendu par les autorités traditionnelles gardiennes autoproclamées des temples linguistiques, exclue l'usage officiel de ces variétés urbaines. Ainsi en 2003 le roi zoulou s'offusqua du jingle introduit par la chaîne 1 de la SABC (radio-télévision nationale), *yamampela*, expression mixte sotho-zoulou (« *zutho* » comme dirait le Président Zuma[18]) alors que la forme propre en zoulou est *ngempela* (en réalité). Subséquemment le jingle disparut. De même des protestations récurrentes du comité sotho lorsque les parlers des jeunes des townships reçoivent droit d'onde. Cette attitude frileuse trahit naturellement une méfiance de l'establishment vis-à-vis des jeunes urbanisés, par hypothèse irrespectueux des autorités traditionnelles et au mode de vie licencieux. Cela n'empêche pas le recours

---

16 Une tendance actuelle serait de subsumer l'ensemble de ces phénomènes sous l'appellation de *tsotsitaal.*

17 Je dois ces vues à Pierre Aycard, qui a mené des recherches à Soweto.

18 Durant un meeting de campagne à Soweto, Jacob Zuma s'efforça de s'exprimer dans la variété mixte locale qu'il qualifia de « zutho » (zoulou-sotho). Jacob Zuma, tranchant avec son prédécesseur immédiat, n'hésite pas à utiliser sa propre langue – le zoulou – dans des circonstances officielles. Il mena une partie de sa campagne électorale de 2007 en zoulou.

occasionnel à des traits issus de ces variétés dans les publicités, comme le constate Dowling (2013), mais ces audaces restent circonscrites.

Sans que cela soit inscrit dans la pierre, les instances établissant les normes languagières attendues aux examens exigent le respect des canons établis. Les langues africaines souffrent ainsi d'une réputation de difficulté, en particulier pour les élèves originaires des townships dont la variété est éloignée des langues standard. Des recommandations récentes de souplesse lors des corrections n'ont pas vraiment modifié la donne. Paradoxalement, les élèves africains optent souvent pour l'afrikaans réputé plus facile à l'examen que leur propre langue...

Sur le fond, la censure politique n'est, évidemment, plus, et l'on peut en théorie aborder tout sujet. Reste toutefois une censure morale implicite comme en témoignait feu Mpe, auteur de *Welcome to our Hillbrow* (2001), qui constatait que, s'il peut évoquer de façon crue les relations sexuelles dans un texte en anglais, cela ne serait pas admis en sepedi (Mpe & Seeber 2000 : 33).

On conçoit dans ce contexte que les auteurs souhaitant malgré tout s'exprimer en langues africaines ne se sentent pas linguistiquement libres, car, malgré la résurgence de prix littéraires, le seul débouché réel de la littérature en langues africaines reste le marché prescrit des écoles. On tarde donc à voir émerger des pratiques écrites performantes, ambitieuses et innovantes. Au contraire, nombre de textes contemporains paraissent englués dans le passé. Le renouveau de la littérature écrite en langues africaines dépend sans doute d'une rupture avec la période immédiatement antérieure, tant sur le fonds que sur la forme.

## La contribution de la traduction

Pourquoi, dans ce contexte, traduire ? Tout d'abord, dès lors, bien sûr, qu'un texte présente des qualités incontestables de fonds, de structure narrative, de véracité, il n'est pas juste d'arguer des défauts mineurs qu'il peut présenter pour surseoir à la traduction. Ce qui peut apparaître comme un manque d'originalité, une certaine naïveté voire un didactisme scolaire, ainsi qu'une préciosité dans l'expression, s'efface quand le texte est replacé dans le cadre général de l'histoire de cette littérature. En outre, il faut prendre garde à ne pas succomber à une vision européo-centrée de la littérature, comme le dénoncent Chinweizu, Onwuchekwa et Ihechukwu (1980 : 84). C'est dans ce paysage que se situe, pour le sociolinguiste que je crois être, la problématique d'une traduction d'un texte littéraire zoulou contemporain. Outre l'intérêt propre du texte il s'agit *aussi* de tenter d'apporter une contribution, pour modeste qu'elle soit, au développement de cette littérature et par là, des langues elles-mêmes. Bernard Mouralis a rappelé, après Césaire (Garnier & Ricard 2006 : 228), qu'il n'y a pas de promotion des langues sans leur usage à l'écrit et qu'il n'y a pas d'usage écrit ambitieux sans littérature.

Comment la traduction peut-elle contribuer au développement de la littérature en langues sud-africaines ? À l'évidence, elle ne peut qu'encourager les vocations. Une telle démarche m'apparaît en effet cruciale pour rehausser le statut de la littérature en langues africaines aux yeux de ses lecteurs comme des auteurs actuels et à venir, particulièrement dans une période où la globalisation tend, comme jamais, à étouffer le local, et où, plus encore qu'autrefois, l'anglais apparaît comme la seule langue dont la maitrise à l'écrit importe. Elle montre qu'écrire en langues africaines n'est pas synonyme d'enfermement culturel non plus que de condamnation à un marché étriqué. Et il est important, pour banaliser ce type d'entreprise, que les traductions ne soient pas opérées par les auteurs eux-mêmes. Plus que de traduction, il s'agit alors plutôt d'adaptation, voire d'une autre version[19]. La traduction par traducteurs est d'ailleurs la règle pour la plupart des littératures. On conçoit, dans cette perspective, que réaliser une telle traduction puisse faire partie des objectifs, sinon du devoir moral au titre de la restitution, d'un chercheur attaché à la promotion des langues africaines, dès lors qu'il a développé la capacité de le faire.

Un regard extérieur critique peut également inciter les auteurs à repenser leur propre pratique en rendant leurs ouvrages accessibles à la critique et par là en s'ouvrant à de nouvelles influences.

## Conclusion

Les littératures en langues sud-africaines disposent d'un formidable potentiel, tant sur le plan du fonds que de la forme. Désormais affranchies des contraintes de l'apartheid, elles peuvent transmettre, dans des termes authentiques, dépassant les limitations que charrie l'usage d'une langue seconde, les expériences et les ressentis multiples des diverses communautés qui ensemble constituent le pays, et qui offrent un univers multiple et fascinant. En outre, la richesse et la diversité des situations linguistiques ouvrent la voie à des écritures profondément novatrices. Il importe de réinventer les pratiques de sorte que cette littérature s'émancipe enfin des circonstances utilitaires de son émergence en renouant avec la période faste des années 1930 et en clôturant la parenthèse de l'apartheid. Ce renouveau devrait aussi amener au dépassement des thématiques ancrées dans les tribulations des communautés éponymes. Pourquoi un roman composé en zoulou ou en sotho, etc., ne porterait-il pas, par exemple – place à l'actualité – sur les affres des familles divisées par les guerres fratricides au Rwanda ou au Mali, les angoisses des jeunes filles afghanes prises entre deux

---

[19] Citons parmi de nombreux exemples *Wizard of the Crow* (2007), de Ngugi, publié d'abord en gikuyu puis traduit par l'auteur lui-même.

cultures, le courage des manifestants de la place Maydan ou le patriotisme des Criméens, ou encore, plus proche du centre, les doutes et les hésitations de certains des agents de l'apartheid ?

Ainsi cette littérature pourra-t-elle (re)prendre son essor, déjouant toute censure, politique, morale ou linguistique, et les langues qui la portent pourront-elles assumer pleinement le rôle qui leur revient dans la société sud-africaine d'aujourd'hui. Si des débouchés rémunérateurs s'y ajoutent, la validité de la démarche se trouvera pleinement confirmée et la partie, sans doute, sera en voie d'être gagnée.

## Ouvrages cités


Alexander, Neville. 1989. *Language Policy and National Unity in South Africa/Azania. An Essay*. Cape Town : Buchu Books.

—— 2000. « Key Issues in Language Policy for Southern Africa ». In : Trewby, Richard & Fitchat, Sandra (Eds.). *Language and Development in Southern Africa. Making the Right Choices*. Namibia : Gamsberg Macmillan. 9-22.

—— 2003. *Politique linguistique éducative et identités nationales et infranationales en Afrique du Sud*. Strasbourg : Conseil de l'Europe.

—— 2011. « After Apartheid : The Language Question ». In : Shapiro, Ian & Tebeau, Kahreen (Eds.). *After Apartheid. Reinventing South Africa?* Charlottesville: University of Virginia Press. 311-331.

Behr, Abraham Leslie. 1978. *New Perspectives in South African Education*. Durban : Butterworths.

Bloch, Graeme. 2009. *The Toxic Mix. What's Wrong with South Africa's Schools and How to Fix It*. Cape Town : Tafelberg.

Chapman, Michael & Daymond, Margaret J. 1986. *Literature in South Africa Today*. Pietermaritzburg : University of Natal Press.

Chinweizu, Jemie Onwuchekwa & Madubuike, Ihechukwu. 1980. *Toward the Decolonisation of African Literature. African Fiction and Poetry and Their Critics*. London: KPI.

Couzens, Tim. 2003. *Murder at Morija*. Johannesburg : Random House.

Cuthbertson, Greg. 1989. « Van Der Kemp and Philip : The Missionary Debate Revisited ». *Missionalia*, 17.2 : 77-94.

Dowling, Tessa. 2013. « "Hola, My New Cherry!" Two Case Studies of isiXhosa Advertising in Print Media ». *S. Afr. J. Afr. Lang,* 33.2: 173-88.

Dube, John Langalibalele. 2008 [1951]. *Jeqe, the Body-Servant of King Shaka*. Johannesburg : Penguin.

Elbourne, Elizabeth. 1991. « Concerning Missionaries : The Case of Van Der Kemp ». *Journal of Southern African Studies*, 17.1: 153-64.

Fauvelle-Aymar, François-Xavier. 2006. *Histoire de l'Afrique Du Sud*. Paris : Seuil.

Fuze, Magema. 1979. *The Black People and Whence They Came, a Zulu View [Abantu Abamnyama Lapa Bavela Ngakona]*. Pietermaritzburg : Univiversity of Natal Press.

Garnier, Xavier & Ricard, Alain (Dir.). 2006. *Itinéraires et contacts des cultures*, 38 (*L'Effet roman. Arrivée du roman dans les langues d'Afrique*). Paris : L'Harmattan.

Gérard, Albert. 1976. « Introduction aux littératures de l'Afrique noire ». In : Salmon, Pierre (Dir.). *L'Afrique Noire. Histoire et culture*. Bruxelles: Meddens : 149-73.

Graff, Harvey J. 1987a. *The Labyrinths of Literacy. Reflections on Literacy Past and Present*. London/New York : Falmer Press.

—— 1987b. *The Legacies of Literacy. Continuities and Contradictions in Western Culture and Society*. Bloomington : Indiana University Press.

Guy, Jeff. 2002. *The View across the River. Harriette Colenso and the Zulu Struggle against Imperialism*. Charlottesville/Oxford : University Press of Virginia.

Heugh, Kathleen. 2002. « Multilingual Voices Lost in Monolingual Texts and Messages ». In : Féral, Claude (Ed.) *Writing in South Africa After the End of Apartheid*. Saint-Denis de La Réunion : Université de la Réunion.

Hofmeyr, Isabel. 2004. *The Portable Bunyan. A Transnational History of The Pilgrim's Progress*. Johannesburg: Wits University Press.

Jabavu, Davidson D.D.T. 1921. *Bantu Literature. Classification and Reviews*. Lovedale: Book Department.

Khuboni, Fikile *et al*. 2013. « Textbooks as Crafted Representational Objects : A Comparative Analysis of Grade 7 Home Language Textbooks for isiZulu, Sepedi, Sesotho, Afrikaans and English ». *Southern African Linguistics and Applied Language Studies*, 31.2 : 235-249.

Kros, Cynthia. 2010. *The Seeds of Separate Development. Origins of Bantu Education*. Pretoria : Unisa Press.

Lafon, Michel. 2004. « De la diversité linguistique en Afrique du Sud : comment transformer un facteur de division en un outil de construction nationale ? » In : Guillaume, Philippe, Pejout, Nicolas & Wa Kabwe-

Segatti, Aurélia (Dir.). *L'Afrique du Sud, dix ans après, transition accomplie ?*. Paris : IFAS/Karthala. 215-247.

—— 2012. « Se payer d'intention : en Afrique du Sud, malgré un discours ambitieux, la transformation linguistique de l'école est en panne et les inégalités héritées demeurent ». In : Bianchini, Pascal, De Suremain, Marie-Albane & Labrune-Badiane, Céline (Dir.). *L'École en situation postcoloniale*. Paris : L'Harmattan : 183-216.

Luthuli, Albert. 2006. *Let My People Go. The Autobiography of Albert Luthuli*. Cape Town : Tafelberg.

Maake, Nhlanhla P. 1992. « A Survey of Trends in the Development of African Language Literatures in South Africa : With Specific Reference to Written Southern Sotho Literature c1900-1970s ». *African Languages and Cultures* 5.2 : 157-188.

—— 2000. « Publishing and Perishing Books. People and Reading in African Languages in South Africa ». In : Evans, Nicholas & Seeber, Monica (Eds.). *The Politics of Publishing in South Africa*: London : Holger Ehling: 127-59.

Mngadi, Mathews Jabulani. 1996. *Asikho Ndawo Bakithi*. Pietermaritzburg: Shuter & Shooter.

Moyo, Themba. 2002. « Mother Tongues vs an Excolonial Language as Media of Instruction and the Promotion of Multilingualism : The South African Experience ». *South African Journal of African Languages*, 2 : 149-60.

Mpe, Phaswane. 2001. *Welcome to Our Hillbrow*. Pitermaritzburg: *University of Natal Press*.

Mpe, Phaswane & Seeber, Monica. 2000. « The Politics of Book Publishing in South Africa. A Critical Overview ». In : Evans, Nicholas & Seeber, Monica (Eds.). *The Politics of Publishing in South Africa*. Pietermaritzburg: University of Natal Press. 15-42.

Mphahlele, Es'kia. 1959. *Down Second Avenue*. London: Faber & Faber

—— 1971. *The Wanderers*. New York: Macmillan.

Msimang, C. T. 1986. *Folktale Influence on the Zulu Novel*. Pretoria/Johannesburg : Acacia.

Mzamane, M. 1979. « Literature and Politics among Blacks in Southern Africa ». *Pula, Botswana Journal of African Studies,* 1.2 : 123-145.

Ndletyana, Mcebisi. 2008. *African Intellectuals in 19th and Early 20th Century South Africa*. Cape Town : HSRC.

Ngugi wa Thiong'o. 2007. *Wizard of the Crow. A Translation from Gĩkũyũ by the Author*. London : Vintage.

Nhlapo, Jacob M. 1944. *Bantu Babel. Will the Bantu Languages Live ?*. Cape Town: The African Bookman.

—— 1945. *Nguni and Sotho. A Practical Plan for the Unification of the South African Bantu Languages*. Cape Town: The African Bookman.

Ntuli, D.B. & Swanapoel, C.F. 1993. *Southern African Literature in African Languages. A Concise Historical Perspective*. Pretoria : Acacia.

Nyembezi, Sibusiso. 1994 [1961]. *Inkinsela YaseMgungundlovu*. Pietermaritzburg : Shuter & Shooter.

—— 2008. [1961. *Inkinsela YaseMgungundlovu*]. *The Rich Man of Pietermaritzburg*. Laverstock: Aflame books.

Oppland, Jeff. 2006. « USamson [Samson] de Samuel Mqhayi (xhosa, 1906) : Querelles autour d'un premier roman ». In : Garnier, Xavier & Ricard, Alain (Dir.). 2006. *Itinéraires et contacts des cultures*, 38 (*L'Effet roman. Arrivée du roman dans les langues d'Afrique*). Paris : L'Harmattan : 47-53.

Ricard, Alain. 2004. *The Languages and Literatures of Africa*. Oxford: James Currey.

Rich, Paul. 1995. « Albert Luthuli and the American Board Mission in South Africa ». In : Bredekamp, Henry & Ross, Paul. *Missions and Christianity in South African History*. Johannesburg : Wits Univ Press. 189-209.

Sévry, Jean. 1991. *Chaka, empereur des Zoulous : histoire, mythes et légendes*. Paris : L'Harmattan.

—— 2000. « L'heure des bilans : les littératures de l'Afrique du Sud et leurs problèmes de communication". In : Féral, Claude (Ed.) *Writing in South Africa After the End of Apartheid*. Saint-Denis de La Réunion : Unversité de la Réunion. 77-98.

—— 2009. *Littératures d'Afrique du Sud*. Paris : Karthala.

Swanapoel, C.F., 1998. « African-Language Writing and the Center-Margin Debate ». *South African Journal of African Languages*, 18-1 : 18-22.

Van der Merwe, Annari. 2001. "Did the First Democratic Elections of 1994 Also Democratise South African Publishing and Litterature ?". *Alizés*, 21 : 123-36.

# Publication scientifique en Afrique : la contribution du CODESRIA

Mamadou Drame (Université Cheikh Anta Diop, Dakar)

---

**Abstract**

*After 40 years of presence in Africa, The Council for the Development of Social Sciences in Africa (CODESRIA) has become the leader of scientific research in Africa and by Africans. This contribution will focus on the strategies in terms of publications. For the Council the scientific value and integrity are very important criteria for validating what is published. This article will look at what is published and at the processes involved.*

**Keywords**: publication, research, social sciences, peer review, Africa

**Mots Clés** : publication, recherche, sciences sociales, *peer review*, Afrique

Fondé en 1973, le Conseil pour le Développement de la Recherche en Sciences sociales en Afrique (CODESRIA) est la réalisation de la volonté des chercheurs africains en sciences sociales de développer des capacités et des outils scientifiques susceptibles de promouvoir la cohésion, le bien-être et le progrès des sociétés africaines. Cet objectif n'est possible qu'à travers l'émergence d'une communauté panafricaine de chercheurs actifs, la protection de leur liberté intellectuelle et de leur autonomie dans l'accomplissement de leur mission et l'élimination des barrières linguistiques, disciplinaires, régionales, de genre et entre les générations.

Le Programme Publications du CODESRIA a été mis en place pour assurer la publication et la diffusion des résultats et idées générés par les réseaux de recherche de l'institution, les séminaires, conférences et autres activités scientifiques. Ainsi, au cours des 40 dernières années, le CODESRIA s'est imposé comme le leader de l'édition en sciences sociales sur le continent africain, avec 90% de ses publications provenant directement des activités et des recherches qu'il finance à travers l'appui apporté aux réseaux de recherche, aux universités, aux institutions de recherche en Afrique et de plus en plus dans la diaspora.

Le Programme Publications a pour mission de veiller sur la qualité de l'ensemble des publications du CODESRIA et de désigner des rédacteurs pour les revues. Les publications du CODESRIA sont rédigées en anglais, en français, en arabe et en portugais.

Dans les lignes qui suivent, nous allons faire l'état des lieux de la publication scientifique en Afrique, ensuite montrer comment se réalise le processus de publication et enfin mettre en lumière la contribution que le CODESRIA a eue dans la recherche et la carrière des chercheurs africains.

## La publication scientifique en Afrique

La publication scientifique en Afrique souffre de deux maux principaux, à savoir la faiblesse de la production et l'inégale répartition des possibilités de publier. Concernant le premier point, une étude menée par Jacques Gaillard et Roland Waast laisse ressortir qu'au moment des indépendances, l'Afrique a connu une évolution en trois phases. Il y a d'abord eu une explosion universitaire, ensuite la croissance du nombre de chercheurs et enfin un ralentissement. Resituées dans le contexte mondial, les ressources disponibles produites par les Africains restent cependant modestes. Ainsi :

> L'Afrique disposerait aujourd'hui de 0,4 % du potentiel mondial (environ 20 000 chercheurs et ingénieurs de recherche en équivalent plein-temps – EPT) et des dépenses mondiales de recherche. Avec ce potentiel elle fournirait un peu plus de 0,3 % de la production scientifique internationale ou « mainstream ». (Gaillard & Waast 1991 : 48-49)

Ils continuent en précisant que, mesurée en nombre de publications répertoriées dans les principales bases de données internationales, « la production scientifique africaine équivaudrait à environ 1/8 de la production française et à un peu moins d'1/5 de celle de l'Inde. Par ailleurs, les pays francophones ne produiraient qu'entre 1/6 et 1/4 de la totalité de la production africaine "mainstream" » (*Ibid.* : 48-49).

L'autre problème concerne les productions scientifiques qui sont inégalement réparties. Certaines parties du continent semblent mieux loties que d'autres. C'est le cas de la partie anglophone et des pays du nord de l'Afrique. Un rapport d'IMIST (Institut Marocain de l'Information Scientifique et Technique) montre que l'Afrique francophone et l'Afrique noire sont très en retard. Les chiffres suivants sont avancés :

> La production scientifique globale, entre 2000 et 2010, de ces 6 pays africains est en évolution continue dans le temps. L'Afrique du Sud occupe la première place avec une production totale de près de 11297 en 2010. Ensuite, l'Égypte réalise une croissance notable du nombre de publications allant de 2986, en 2000, jusqu'à 8894, en 2010. Dans une moindre mesure, la Tunisie et le Nigéria présentent, tous les deux, la même tendance d'évolution et réalisent, respectivement, 4547 et 5205 publications en 2010. (IMIST 2012)

Dominique Hado Zidouemba ne nie pas l'existence d'une production scientifique au triple plan de la recherche fondamentale, de la recherche appliquée et de la vulgarisation. Il estime que c'est bien une réalité mais il souligne des insuffisances liées à :

> Une multiplicité de périodiques à périodicité irrégulière, à volume inconstant, généralement pluridisciplinaire, à qualité scientifique inégale, ce qui rend nécessaire l'établissement d'un répertoire de périodiques scientifiques d'Afrique francophone le plus complet possible comme moyen d'identification aussi bien des titres que des domaines scientifiques couverts, ce qui permettra d'éviter le double emploi à l'avenir et de ne créer que de nouvelles revues complémentaires. (Zidouemba 2007 : 69)

Passant en revue l'édition scientifique en Afrique noire francophone, Dominique Hado Zidouemba va plus loin et indexe la qualité de la publication, aussi bien au plan de la scientificité qu'au plan du produit lui-même. Il propose même une formation à la production scientifique :

> La qualité scientifique et physique des périodiques a été perçue comme le point faible de la plupart des revues d'Afrique francophone, aussi a-t-il été proposé à l'ARESAF (Association des rédacteurs et éditeurs scientifiques d'Afrique francophone), outre la formation dispensée aux différents responsables des périodiques scientifiques, de prendre contact avec le CAMES pour fixer les critères de scientificité d'un périodique. (Zidouemba 2007 : 68)

Ces deux problèmes majeurs constituent des obstacles sérieux à la production, mais aussi à la diffusion et à la dissémination du savoir en Afrique. Ainsi le CODESRIA s'est-il fixé comme objectif de lutter contre la fragmentation de la connaissance, de briser les barrières de langue, de discipline, de zone géographique, de procéder à la diffusion de la connaissance dans le respect des différences.

## Que publie le CODESRIA ?

Le CODESRIA publie les manuscrits provenant de ses programmes. Il s'agit principalement des textes générés par les activités des programmes bourses et formation et recherche et du secrétariat exécutif. Ce sont des activités de recherche menées dans le cadre des instituts, des symposiums, des colloques et des conférences ou dans le cadre des groupes nationaux, transnationaux comparatifs de recherche. Ces programmes ont pour objectif de former la jeune génération de chercheurs ainsi que les chercheurs confirmés, à mener à bien leurs recherches en vue de relever les grands défis du continent.

Le Programme Publications reçoit et publie des manuscrits non sollicités d'auteurs qui travaillent sur les problématiques actuelles qui engagent l'Afrique en ce moment. En fonction des budgets disponibles, nous nous efforçons de procéder à leur publication. Le Conseil reçoit aussi des sollicitations provenant de maisons d'édition pour des projets de coédition (Karthala, L'Harmattan, Présence Africaine), ce qui est très important surtout en ce qui concerne la plus large diffusion des livres.

## Inventaire des publications du CODESRIA

Le CODESRIA publie seul ou en collaboration avec des associations de chercheurs africains dix revues périodiques, des monographies et des livres dans une collection intitulée « Série des livres ». Il s'agit de :

- *Afrique et développement* consacré aux problèmes de développement et de société. C'est un forum pour des échanges d'idées entre intellectuels africains de convictions et de disciplines diverses.

- *Afrika Zamani*, la revue annuelle d'histoire africaine, publiée en collaboration avec l'Association des Historiens Africains.
- *Identité, Culture et Politique : un dialogue Afro-asiatique* est une publication biannuelle du CODESRIA, et de *l'International Centre for Ethnic Studies* (ICES) de Colombo (Sri Lanka). Son but est de favoriser la dissémination des connaissances et les échanges d'idées et de réflexions entre les chercheurs et activistes africains et asiatiques.
- *L'Anthropologue africain*, revue biannuelle en collaboration avec l'association panafricaine d'anthropologie, qui permet aux anthropologues africains et africanistes de publier des articles, des rapports de recherche, des comptes-rendus d'articles et de livres.
- *Méthod(e)s* : *Revue africaine de méthodologie des sciences sociales* est une revue internationale qui parait deux fois l'an simultanément en français et en anglais. Elle a une orientation éditoriale multidisciplinaire.
- La *Revue africaine de sociologie* dont la vocation première est de servir de support au développement de la pensée sociologique et anthropologique au sein de la communauté des chercheurs africains.
- La *Revue africaine des relations internationales* offre une tribune pour l'analyse des questions contemporaines concernant les affaires internationales africaines, en relation avec les événements mondiaux qui ont des répercussions sur le continent.
- La *Revue africaine des livres* coéditée par le Forum des sciences sociales (FSS), basé à Addis-Abeba (Éthiopie), et le Centre national de recherche en anthropologie sociale et culturelle (CRASC), établi à Oran (Algérie). C'est à la fois un baromètre des tendances en matière d'études africaines et un stimulateur permettant une importante élévation des standards et de la qualité.

- La *Revue africaine des médias* en collaboration avec le Conseil africain pour l'enseignement de la communication (ACCE) de Nairobi (Kenya) sert de forum favorisant la recherche, les débats relatifs à la théorie, la pratique et la politique de communication au niveau du continent.
- La *Revue de l'enseignement supérieur en Afrique* publie des analyses, des informations et des approches critiques des défis actuels auxquels l'enseignement supérieur reste confronté sur le continent.
- *Sélection afro-arabe pour les sciences sociales* est une collaboration avec le Centre de recherche arabe du Caire (Égypte). Elle contient une sélection d'articles publiés dans les revues du CODESRIA au cours de l'année ainsi que d'autres publications en provenance du monde arabe. Cette revue est publiée en arabe.
- La *Série monographies* cherche à stimuler le débat, présenter des observations et susciter des recherches supplémentaires sur les sujets déjà traités. La série fait office de forum pour des travaux basés sur des résultats de recherche originaux, qui sont toutefois trop longs pour être publiés dans des revues spécialisées, mais pas assez volumineux pour être publiés en tant que livres, et qui méritent d'être accessibles à la communauté de la recherche en sciences sociales en Afrique et ailleurs.
- La *Série des livres* est la plus ancienne et la plus consistante parmi les publications du CODESRIA. Elle est destinée essentiellement à la publication des résultats du programme Recherche (GNT, GMT, GTT, RRC, conférences et initiatives collaboratives) et du programme Formation, bourses et subventions (Instituts, bourses de recherche avancée, etc.) La série accepte également les manuscrits non sollicités mais considérés comme des contributions exceptionnelles à la recherche sociale en Afrique.

## Processus de publication

L'une des exigences majeures du CODESRIA en matière de publication est la qualité scientifique des manuscrits et le grand attachement aux standards internationaux en matière de qualité de la production. Pour arriver à satisfaire ces deux exigences, le processus de publication passe par différentes étapes aussi essentielles les unes que les autres.

### *Peer review*

Première étape, l'évaluation est cruciale et va déterminer la suite du processus. En général, les manuscrits sont soumis à une double évaluation aveugle. Ils sont ainsi envoyés à deux chercheurs évoluant dans le domaine afin qu'ils donnent une appréciation de la qualité et de la rigueur scientifique du manuscrit. Il leur est demandé de produire une brève évaluation de deux pages dans laquelle ils tiendront compte des critères suivants : a) Importance du sujet, b) Originalité de l'approche, c) Profondeur de la connaissance, d) Intérêt pour notre lectorat, e) Pertinence de l'argumentation f) Style de rédaction. Alors ils peuvent ajouter une des recommandations suivantes : a) À publier tel quel, b) À publier après révisions (indiquer les corrections), c) À rejeter (veuillez fournir des commentaires qui pourront être envoyés à l'auteur, au lieu d'un rejet catégorique).

### *Révision*

L'acceptation avec la mention à publier tel quel ouvre la voie à la production qui va poursuivre le processus. En revanche, s'il y a une demande de révision, les rapports sont envoyés aux auteurs afin qu'ils fassent les corrections nécessaires. Les versions révisées sont renvoyées aux évaluateurs pour qu'ils voient si leurs recommandations ont été prises en compte et si le texte peut ainsi être publié. C'est un aller-retour qui se fera jusqu'à ce que le manuscrit soit déclaré publiable.

*Copyediting*

Le *copyediting* est l'étape première et la plus importante. Elle consiste en une relecture du document pour le nettoyer en enlevant toutes les coquilles, les fautes d'orthographe, de grammaire, de conjugaison en vue de rendre le document lisible et compréhensible. Si nécessaire, il faudra réécrire certains passages pour les rendre plus clairs. En cas de doute, des commentaires sont donnés sur la marge ou soumis à l'auteur pour une confirmation de manière à éviter, en voulant corriger, de faire des contresens.

*Typesetting*

Le *typesetting* est l'étape de la composition du document. Celui-ci est confié au *typesetter* ou compositeur qui dessine la forme du document en respectant la volonté de l'auteur et/ou les normes et les formats en vigueur pour chaque type de document. En effet, il y a des normes typographiques à respecter selon que c'est un livre, un guide pédagogique ou une brochure, etc. Le *typesetter*, en accord avec l'éditeur, donne la forme que le document revêtira à la fin de la production.

*Proofreading*

Composer ne suffit pas. Il faut un contrôle de la part de l'éditeur qui vérifie que rien n'a été omis pendant la phase de composition. Il regarde pour voir si les normes, qu'il avait proposées, ont été respectées, si les pages se suivent correctement, si les polices de caractères ont été respectées. Si tout ceci est en ordre, le document peut être envoyé à l'auteur sous un format PDF ou en version papier. C'est ce qu'on appelle « épreuve ». À charge pour l'auteur de confirmer que ce qu'il attendait a été respecté. S'il le désire, il peut, à ce stade intégrer des changements, demander des améliorations et changer les formats.

*Quality Control*

Le contrôle de qualité va permettre de voir si les remarques, suggestions et propositions de l'auteur à qui l'épreuve a été soumise ont bien été intégrées. Il vérifie que tout est parfait avant l'impression.

*Le cover design*

Il est fait appel à un artiste qui a pour mission de dessiner la couverture. Celle-ci est très importante en ce sens qu'elle est la vitrine du document, le premier lien qui relie l'auteur à son lecteur. Elle doit être en adéquation avec le contenu. En général, l'artiste propose au moins trois couvertures qui sont soumises à l'appréciation de l'auteur. Ce dernier peut, s'il le souhaite, choisir une des couvertures ou proposer des modifications sur les formats, les couleurs ou autre. Et, c'est après validation que la page de couverture et la quatrième de couverture sont intégrées dans le document final.

*Diffusion et dissémination*

La diffusion prend en compte deux directions complémentaires et principales. Il y a la distribution des supports papier vers les institutions membres du CODESRIA. En plus, une partie est réservée à la distribution à travers le réseau de distributeurs dans 5 pays d'Afrique : Sénégal, Maroc, Nigéria, Afrique du Sud et Cameroun. Un dispositif *print-on-demand* est mis en place avec *African Collective Books* à Londres pour un tirage numérique et la vente des publications électroniques. Parallèlement, toutes les publications sont téléchargeables sur le site en format PDF et en libre accès. Jusqu'à quand, on ne sait pas encore.

Voici un schéma du circuit emprunté par le livre :

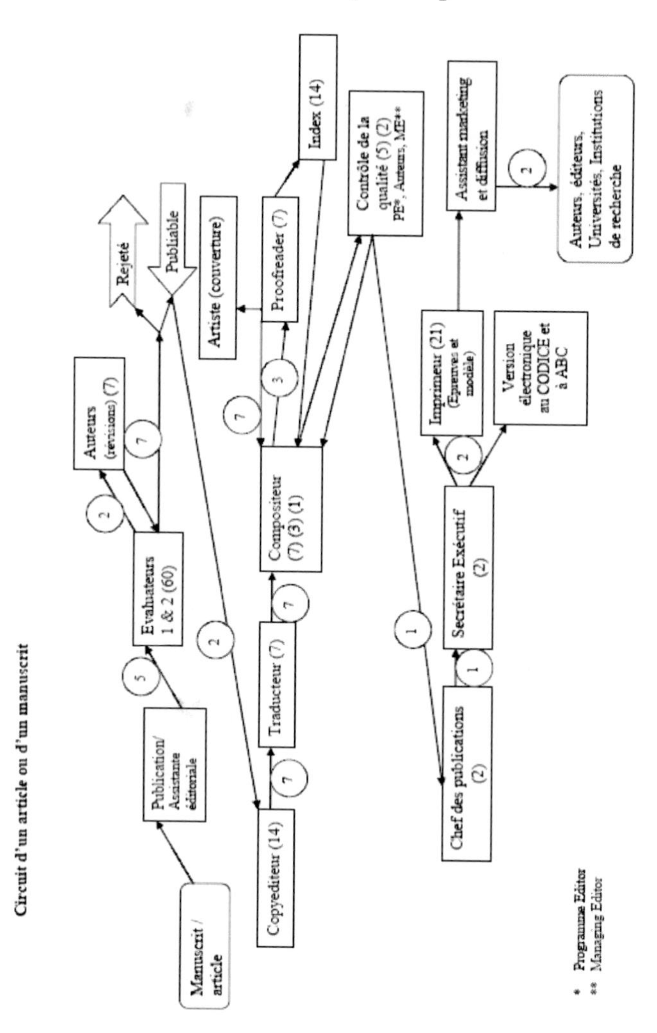


*Figure 1 : circuit emprunté par le livre*

## Impact

En 40 années d'existence, le CODESRIA est passé d'une petite organisation à une véritable machine scientifique dont le socle principal est la production de la connaissance, le refus de la fragmentation de la recherche en Afrique et la promotion de la recherche et des chercheurs en sciences sociales. Ainsi, 3 048 articles scientifiques ont pu être publiés permettant à des chercheurs venus d'Afrique et de la Diaspora de partager leurs réflexions sur des domaines aussi pointus les uns que les autres sur les problèmes et les défis auxquels le continent est confronté.

| **Titres CODESRIA** | **Durée** | **Nombre d'articles** |
|---|---|---|
| *Afrique et développement* | 1976-2013 | 904 |
| *Revue africaine des média* | 2004-2011 | 70 |
| *Revue africaine des livres* | 2004-2013 | 186 |
| *Anthropologue africain* | 2005-2010 | 35 |
| *Revue africaine des affaires internationales* | 1998-2010 | 78 |
| *African Sociological Review* | 1997-2013 | 304 |
| *Afrika Zamani* | 1993-2011 | 122 |
| *Afro-Arab Selections for Social Sciences* | 1999-2010 | 69 |
| *Bulletin du CODESRIA* | 1987-2013 | 987 |
| *Identité, culture et politique: un dialogue Afro-asiatique* | 2000-2012 | 134 |
| *Revue de l'enseignement supérieur en Afrique* | 2003-2012 | 159 |
| | **TOTAL** | **3 048** |

*Tableau 1 : récapitulatif de la publication des articles par revue*

Ces publications ont eu un impact certain sur la carrière des chercheurs, la connaissance du continent et la promotion de la recherche en sciences sociales en Afrique. Entre 1973 et 2013, 433 livres ont été publiés ainsi que 3 048 articles scientifiques et 1 365 thèses de doctorat et mémoires de maîtrise, de master soutenus et déposés au CODICE (Centre de documentation, d'information et de communication du CODESRIA) entre 1988 et 2014. Tous ces mémoires et thèses ont reçu une subvention du CODESRIA. Ces publications ont un impact sur :

- *Sur la connaissance du continent* : Permettre aux chercheurs africains de réfléchir sur leur propre continent a été un des défis majeurs des chercheurs. En effet, l'un des objectifs du CODESRIA, à sa création, a été de donner à voir la réalité africaine à partir des recherches menées par les Africains sur l'Afrique. La pertinence d'une telle option se lit si on veut éviter que les discours sur le continent soient des discours venus d'ailleurs qui ne prennent pas en compte les vraies préoccupations des Africains. Le CODESRIA a voulu imposer cette liberté de ton et de démarche et a refusé qu'on lui impose où orienter le regard. Les publications ont ainsi permis d'avoir un autre regard sur l'Afrique, regard qui n'est pas centré uniquement sur les fléaux, les guerres, les maladies, mais orienté sur le quotidien réel des Africains, leurs réalités, leurs aspirations et leurs orientations.
- *Sur la carrière des chercheurs* : Faire des recherches est une chose, partager les résultats en est une autre. Or, c'est la publication qui permet à un chercheur de faire connaitre ses résultats mais surtout de soulever des débats, suite aux conclusions des travaux. Avec la rigueur constatée dans le processus de publication, l'exigence d'une véritable qualité de la production, soutenue et accompagnée par des programmes de renforcement de capacité aussi en recherche qualitative et quantitative qu'en écriture scientifique, les publications du CODESRIA ne souffrent d'aucun doute quant à la qualité des productions. Les 3 048 articles ont permis à des générations de

chercheurs d'avoir des promotions dans leurs universités et de se familiariser avec les standards internationaux en matière de production scientifique, aussi bien pendant la recherche que pendant la publication.

- *Sur la dissémination de la connaissance produite par les Africains* : Les Africains ont souvent été victimes de stigmatisation et ont eu beaucoup de difficultés à se faire publier ailleurs, surtout pour les travaux concernant l'Afrique. Ce qui favorise une méconnaissance de l'Afrique, lue à travers le prisme des travaux scientifiques des Occidentaux qui ont plus de moyens pour faire la recherche et plus de possibilités de rendre visibles leurs résultats. Ainsi, après la formation à la recherche et l'incitation à travailler sur les problématiques les plus importantes pour la connaissance de l'Afrique, la publication des résultats permet d'avoir une meilleure connaissance du contient, grâce à des recherches menées par les Africains, sans parti-pris et avec toute la rigueur qui sied.

## Conclusion

En 40 ans d'existence, le CODESRIA est passé d'une institution primaire à une institution de carrure internationale dont l'utilité est universellement reconnue. La publication est sa vitrine dans la mesure où c'est grâce à elle qu'on peut rendre visible le travail fait au Conseil à travers la formation et la recherche. Ainsi, les livres, monographies, revues et autres rapports de recherche ont permis à des générations d'étudiants de se former, et à des générations de chercheurs de faire des carrières brillantes et de se retrouver à des positions internationalement respectées (Mamadou Diouf, Souleymane Bachir Diagne, Achille Mbembe, Samir Amin). Mais surtout, les publications du CODESRIA ont permis d'avoir un autre regard sur l'Afrique et les Africains. Elles ont permis à des chercheurs négligés d'être reconnus dans leurs domaines de connaissance. L'Afrique a cessé d'être une attraction pour devenir un terrain d'études pour les Africains et ceux qui s'intéressent à l'Afrique.

## Ouvrages cités


Nations Unies. Commission économique pour l'Afrique. Bureau pour l'Afrique du Nord. 2008. *Renforcer les capacités productives par la recherche-développement en Afrique du Nord*. (http://www.uneca.org/sites/default/files/publications/recherche-developpement_0.pdf ; accédé le 20 juillet 2014).

Gaillard, Jacques & Waast, Roland. 1991. « La publication scientifique en Afrique ». *Le Courrier*, 125 : 48-49. (http://horizon.documentation.ird.fr/exl-doc/pleins_textes/pleins_ textes_5 /b_fdi_31-32/36039.pdf. ; accédé le 20 juillet 2014).

Gaillard, Jacques & Zink, Eren. 2003. *Les capacités de recherche scientifique au Cameroun. Une évaluation de l'impact des activités de l'IFS*. Stockholm : International Foundation for Science.

IMIST. 2012. « La production scientifique en Afrique ». *Maroc Bibliométrie*, 6 (http://bibliometrie.imist.ma/MarocBibliometrie6.pdf ; accédé le 20 juillet 2014).

Mboungou, Vitraulle. 2010. « La Recherche scientifique en Afrique : sous-financement chronique ». *Afrique Expansion*, 14 décembre (http://www.afriqueexpansion.com/investissements-afrique/1452-la-recherche-scientifique-en-afrique--sous-financement-chronique.html ; accédé le 20 juillet 2014).

Sabrié, Marie-Lise. 2010. « Promouvoir la culture scientifique et technique en Afrique ». *La Lettre de l'OCIM*, 128 (http://ocim.revues.org/159 ; accédé le 20 juillet 2014).

Zidouemba, Dominique Hado. 2007. « L'édition scientifique en Afrique noire francophone (1960-2006). *Schéma et Schématisation. Revue internationale de Bibliologie*, 66 : 62-70.